ELIADES OCHOA
de la Trova para el mundo

ELIADES OCHOA
de la Trova para el mundo

Grisel Sande Figueredo

Idea original: Grisel Sande Figueredo
Edición, corrección y diseño interior: Georgina Pérez Palmés
y Mónica Olivera
Diagramación: Isabel Hernández Fernández
Dirección artística y diseño: Alfredo Montoto Sánchez
Realización de pentagramas: Eduardo Fariñas Viñals
Fotos al interior del libro: Archivo familiar de Eliades Ochoa
y Grisel Sande
Foto de cubierta: Manuel Martín

ISBN: 978-959-7209-12-6

Ediciones Cubanas Artex
Obispo 527 altos, esquina a Bernaza
La Habana Vieja, La Habana, Cuba

E-mail: contacto@edicuba.artex.cu

Eliades Ochoa
de la trova para el mundo

A Eliades Ochoa Bustamante

Para los trovadores cubanos,
porque sin ellos la historia que presento hubiera sido imposible de escribir.

Por su valiosa colaboración y confianza, a José Julián Padilla,
nieto del Padre de la Trova cubana, José, Pepe, *Sánchez.*

Al empeño de la periodista Mara Roque González,
por conseguir una buena organización y corrección de tanta información acumulada.

A Évora, mi hija, por ayudar con gran tesón en todo el quehacer musical de Eliades.

A Raciel Ruiz y Gonzalo Gutiérrez González, por el documental Luchando por la vida *de la EGREM en Cuba.*

Obertura

La parte más conocida de su biografía es su trabajo como integrante del Buena Vista Social Club, original agrupación y disco homónimo, premiado y aplaudido en los auditorios más selectos. Sin embargo, toda la vida de Eliades Ochoa merecería ser tomada como idea central para una producción cinematográfica. Natural de Songo la Maya, hijo mayor de una familia campesina de extendida vocación musical, desde niño se hizo de una guitarra y empezó a alternar con trovadores itinerantes. En las correrías por guateques, bares y «zonas de tolerancia» empezó a aprender el vasto repertorio tradicional del que hoy es un maestro.

Era la época en que, entre canción y canción, Eliades tuvo que hacer de limpiabotas, vendedor de billetes de lotería y periódicos y de un zumo natural que en el oriente cubano llaman pru. Pero tras el triunfo revolucionario de 1959 Eliades pudo emprender una carrera en ascenso que no se ha detenido: divulgó sus canciones por la radio, integró el Septeto Típico Oriental y el elenco de la Casa de la Trova de Santiago de Cuba; colaboró con el extraordinario Faustino Oramas, *el Guayabero*; fundó el Quinteto de la Trova y se convirtió en el director del legendario Cuarteto Patria.

Algo que se ha dicho poco es que gracias al apoyo prestado por Eliades a Compay Segundo, este último pudo regresar a la música y lanzar su arrasador *Chan-Chan*. Desde entonces, Eliades trabajó y departió muchas veces con Pancho

Repilado, que había sido ídolo de su infancia junto a otros imprescindibles como Lorenzo Hierrezuelo, Miguel Matamoros y Benny Moré.

Por su trayectoria artística, a la altura de los más grandes de su tiempo; por su extraordinario dominio de lo más característico de la trova y el son; por la cantidad y calidad de escenarios del mundo que han ovacionado su talento, Eliades Ochoa es, hoy por hoy, un auténtico clásico de la música cubana.

SILVIO RODRÍGUEZ DOMÍNGUEZ
La Habana, 25 de agosto de 2008

Capítulo I
Por qué en Santiago de Cuba el Cuarteto Patria

Santiago de Cuba, una de las primeras siete villas fundadas por los conquistadores españoles, es una ciudad de alta tradición histórico-musical, pues desde la segunda mitad del siglo XVI su devenir nos muestra la presencia de una amplia gama de ritmos, géneros y estilos, revelados tanto en la música clásica como en la popular. La historia de la caribeña Santiago, según relata el músico e investigador José Padilla Sánchez, nieto del creador del primer bolero cubano José, *Pepe*, Sánchez, nos habla del instrumentista Miguel Velázquez, hijo de español e india y familiar del adelantado Diego Velázquez, a quien se le considera como el primer músico cubano. Miguel Velázquez, después de cumplimentar estudios de canto llano en Alcalá de Henares (España), fue nombrado a su regreso a la villa director musical de la iglesia Catedral construida en 1522. Por esa época ocurrió un suceso que influiría, más tarde, en la historia musical de Santiago de Cuba: la bahía santiaguera recibió los primeros trescientos esclavos africanos llegados a Cuba, desarraigados de su tierra natal por la despiadada trata esclavista.

Ya por el año 1606 fue fundada la primera cantoría de música en la Catedral de Santiago de Cuba. En 1764 llegó a la villa, procedente de La Habana el presbítero Esteban Salas, quien creara la verdadera Capilla de Música, en la que trabajará ingentemente hasta su muerte en 1803.

El amplio trabajo musical de Salas puso en contacto a Santiago de Cuba con las partituras que sonaban en toda Europa en esa época, además de convertir la Catedral en un verdadero conservatorio, donde se propagaron bajo su égida pequeños coros y orquestas. Estas agrupaciones interpretaban obras de Paisello y Respigui, entre otros, además del amplio catálogo autoral del propio Esteban Salas, que abarcó todos los géneros eclesiásticos.

Este prolífero compositor, catalogado por Alejo Carpentier como «nuestro primer clásico», dejó su maravillosa impronta como legado a sus alumnos, entre los que se destacaron Juan París, Hechavarría, Cratilio Guerra y Laureano Fuentes, quienes continuaron la obra de su maestro.

Paralelamente a este desarrollo musical llegaron a las costas de Santiago de Cuba y Guantánamo, cientos de inmigrantes franceses que huían de la Revolución haitiana. Trajeron a sus esclavos que fomentaron los cabildos —Carabalí Izuama y Carabalí Oluogo—, en su nuevo asentamiento. Esto les permitió resguardar celosamente en forma oral la cultura afro-haitiana en su música, sus bailes, la fabricación y uso de instrumentos típicos y los llamados «toques». De esta manera ellos refuerzan una célula rítmica ya cultivada entre los esclavos africanos traídos directamente a Santiago por los españoles: el cinquillo, que integrará posteriores géneros y estilos de la música popular cubana.

No es de extrañar, después de lo anteriormente relatado, que la hospitalaria Santiago de Cuba se convirtiera en un multifacético mosaico cultural. Poseedora de ese amplio bagaje artístico se propició en la ciudad el cultivo de la cancionística cubana y el nacimiento del bolero, perfilado por el trovador José, *Pepe*, Sánchez en 1883 con su obra *Tristezas*.

El investigador José Padilla recuerda que en las primeras décadas del siglo XX surgen los albores del género son, cultivado en la parte sur oriental de la Isla por diversas familias centenarias y llevado a la cima de la popularidad por el inolvidable Miguel Matamoros con su legendario trío.

Herederas de la tradición musical de tantos años, surgieron en Santiago de Cuba desde principios del siglo XX, varias agrupaciones que perpetuaron para la historia lo mejor de nuestro acervo musical. Entre ellas se encontraban la Estudiantina Invasora, la Banda Musical de Conciertos, fundada en 1900, la Orquesta Típica Tradicional y el Cuarteto Patria, por solo citar algunas. A estas agrupaciones se han sumado a lo largo de estos años muchos *ensembles*, que, a pesar de ser baluartes de nuestra tradición artística, han quedado hasta cierto punto olvidados, en la espera de ser descubiertos y promovidos dentro del propio territorio nacional y, por qué no, en otras partes del mundo.

La música cubana ha expresado siempre en todas sus variantes, con dulzura y jocosidad, las vivencias y elementos cotidianos que identifican nuestra cultura. Las proezas imaginativas de los artistas resultan brillantemente expresadas por ilustres representantes de diferentes generaciones como: Pepe Sánchez, Sindo Garay, Eusebio Delfín, Miguel Matamoros, Miguelito Cuní, María Teresa Vera, Antonio Machín, Ñico Saquito y Guillermo Portales entre otros grandes maestros.

A lo largo de los años, la alternancia en la preferencia y vigencia de determinados géneros también caracteriza la vida musical cubana: bolero, danzón, rumba, son, guaguancó, por nombrar solo algunos de los más conocidos, han marcado el protagonismo de títulos, autores e instrumentos típicos, como las maracas, claves, guitarras, tres o el bongó, instrumentos que actualmente forman parte del patrimonio musical cubano por su repercusión y permanencia en el tiempo y porque se integran en las diferentes agrupaciones musicales. En Santiago de Cuba las raíces de la música tradicional ocupan un lugar especial en la idiosincrasia del cubano; cultivar sus diferentes manifestaciones nos hace encaminar hacia una rica fuente de valores, y mantenerla viva un privilegio.

Dentro de este contexto socio-cultural, encontramos al Cuarteto Patria, agrupación fundada el 7 de noviembre de 1939, y conformada en sus inicios por Emilia García, voz y claves, Francisco Cobas la O, *Pancho*, voz y guitarra segunda, Rigoberto Hechavarría, *Maduro*, en el tres-cuatro, y por un músico de nombre Feliberto cuyo apellido se ha perdido en el tiempo, y que tocaba el bajo. Con frecuencia, se les incorporaba un músico de apellido Corales, que tocaba un instrumento llamado botija, el cual emitía un sonido muy parecido al de un bajo, casi en desuso en la actualidad.

Sobre las interrogantes acerca de los elementos que tuvieron en cuenta sus integrantes para dar el nombre de Patria a la agrupación, hay varias respuestas. Para comenzar, sus fundadores pensaron en el nombre del periódico fundado y dirigido por el patriota cubano José Martí, ya que fue el *Patria* tribuna y ejemplo de cubanía, tal y como lo fue la música que ellos cultivaban. Por otra parte, Emilia García, única mujer integrante del grupo, colaboraba en las luchas revolucionarias de la época y para esto utilizaba el seudónimo Patria. Finalmente, con el ánimo de combatir males sociales como la discriminación de la mujer cubana y los prejuicios contra ella, fundamentalmente en la música, los fundadores del cuarteto consideraron un honor estimular a Emilia García utilizando su nombre de combate para designar al grupo.

Queda así el nombre de Patria para un cuarteto que años después seguiría creciendo tanto por la incorporación de varios integrantes, como por el aporte a la música y a la propia historia de la ciudad de Santiago de Cuba.

Para ganarse la vida, los músicos de la época se veían obligados a mantener los oficios que originalmente habían adquirido. En la mayoría de los casos eran sastres, carpinteros, albañiles, barberos, que se dedicaban en su tiempo libre a la música, esta última mal pagada, pues además no recibían remuneración por el derecho de autor. En ese tiempo se acuñó un término que definía la manera de ganarse la vida de estos músicos, «el picador», que era aquel que cantaba su canción a algún parroquiano en espera de una propina, que dependía de la satisfacción de quien escuchaba la melodía.

Pero retomemos la historia del Cuarteto Patria, pues con frecuencia esta agrupación realizaba serenatas «descargas», en bares, cafeterías, carnavales, fiestas populares, dentro de la ciudad de Santiago de Cuba o en poblados como Siboney y El Cobre. En las emisoras de radio de la época no se les permitía realizar programas, y así las posibilidades de ser considerado un cuarteto conocido, no resultaron.

En la calle Heredia, entre San Félix y San Pedro, había un interior donde Virgilio Palay colocó una vidriera y algunas banquetas para vender ron Palmita, aguardiente, pescados fritos, frituras, cigarros y tabacos, lugar en el que nunca faltó una guitarra a disposición de los trovadores. En este ambiente se creaban tertulias, y las llamadas «descargas» a las que se incorporaban de manera espontánea aquellos que llegaban al lugar. Esto ocurría a partir de las diez de la mañana y hasta altas horas de la noche. Compartieron estos encuentros figuras de la época, cuyos nombres en muchos casos han sobrevivido el paso del tiempo como: Pucho el Pollero, Ángel Almenares, Emiliano Bles, Salvador Adams, Ramón Márquez, *el Chino*, Cornelio, Manolo Castillo y algunas agrupaciones como el propio Cuarteto Patria.

El Patria, al igual que los demás grupos de trovadores y músicos, no tuvo una institución que lo protegiera y orientara profesionalmente en este trabajo. Las composiciones eran sucesos espontáneos, al igual que las actuaciones, pues el compositor creaba y actuaba porque así lo sentía, pero sin ningún respaldo. En la gran mayoría de las canciones los textos eran dedicados a la mujer, recordando un viejo amor, o alguna vivencia personal.

Otro lugar de reunión entre los músicos de la época fue el bar Calité situado en una singular esquina de la ciudad de Santiago de Cuba, la que forman las calles Trocha y Santa Rita. Este bar era visitado por los integrantes del Trío Matamoros, Los Compadres, el Cuarteto Patria y por allí desfilaban un gran número de admiradores de la música que ellos hacían.

A partir de 1959, con el triunfo de la Revolución cubana y posteriormente con la creación del Consejo Nacional de Cultura, se abrieron nuevas posibilidades para fomentar el desarrollo de los artistas en general y en particular de los músicos de todo el país. Se crearon a lo largo y ancho de la

Isla escuelas de arte, talleres, casas de cultura, entre otras instituciones. Santiago de Cuba no fue la excepción y, tal y como lo hicieron otras agrupaciones, el Cuarteto Patria se vinculó al Consejo, lo cual abrió nuevas puertas para su trabajo, pues a partir de ese momento, además de un salario fijo, contaron con el acceso a nuevos escenarios creados para el disfrute del pueblo, como parte de programas que respondían a la creación de una cultura de masas. Fue un momento en el que el cuarteto participó en actos por la cultura cubana y fiestas populares.

A finales de 1960, muere Emilia García tras una larga enfermedad. El grupo continuó sus actividades en la Casa de la Trova de la calle Heredia, allí el pueblo se concentró y en asombrosa armonía se entrelazaron los acordes de la música trovadoresca con tragos de aguardiente, ron y humo del buen habano, los que denotan un ambiente caribeño. Junto al Patria «descargaron», término con el que en Cuba se define la improvisación entre miembros de varias agrupaciones, Pucho el Pollero y Filiberto Marino, por solo citar algunos.

A partir de la primera década de los años ´70 comenzaron a incorporarse nuevos músicos al Cuarteto Patria. A mediados del año 1970 se sumó oficialmente al grupo Hilario Cuadras en maracas y voz prima; a finales de 1978, Francisco Cobas, director del cuarteto, le propuso a Eliades Ochoa que asumiera la dirección del mismo, y en enero de 1979 se materializó esa idea, que se ha mantenido hasta la actualidad. Eliades es poseedor del don de manipular con maestría la guitarra, además de ser una figura admirada y querida por su pueblo.

Capítulo II
Eliades y el Patria

Eliades Ochoa Bustamante nació en Santiago de Cuba en el poblado de Songo la Maya, el 22 de junio de 1946. Apenas con seis años comenzó a tocar las primeras notas de su primera guitarra. Procedía de una familia campesina humilde, con tradición musical, su madre tocaba el tres, al igual que su padre Aristónico Ochoa. Los dos hermanos tocan la guitarra y sus tres hermanas cantan, aunque dos de ellas decidieron dedicarse a la medicina. El padre de Eliades tuvo otros tres hijos en el anterior matrimonio, Bertha, Abelardo y Enrique Ochoa. Este último acompañó al legendario músico Carlos Puebla y a otros, además de hacer coro a su hermano Eliades Ochoa, haciendo la voz y guitarra segunda.

En su estilo musical ha sido determinante el haber nacido dentro de la campiña cubana, con las vivencias de una infancia vinculada a las actividades agrícolas, escuchando las anécdotas de aquellas épocas y asistiendo a los guateques campesinos, elementos que signaron su forma expresiva, y dieron como resultado un arte totalmente autodidacto. Eliades mostró admiración por la música de Los Compadres, de Antonio Machín, Guillermo Portales y Benny Moré, entre otros, a quienes escuchaba en la radio en aquellos intrincados montes.

A sus doce años, debido a dificultades económicas y como consecuencia de la problemática histórico-social del país, Eliades, el mayor de los hermanos del segundo matrimonio de su padre, comenzó a buscar trabajo. Primero, hizo dúo con

Asdrúbal Llauger y ambos utilizaban ropas confeccionadas por Digna Navarro, madre de este último, para las presentaciones culturales. Después, hizo dúo con Rédido García, *Yeyo*, y Radamés Carmañol, *Lelé*.

Antes del triunfo de la Revolución, las «descargas» de este dúo se produjeron en varios sitios de la ciudad de Santiago de Cuba, en bares conocidos como El Barrilete, El Sótano, El Coco Bar, El Platanal, El Cabilla y El Mozambo, aunque si hubiera que señalar particularmente un lugar de mayor frecuencia de sus actuaciones, este sería la «zona de tolerancia de Barracones», un sitio donde el dúo encontraba gran afluencia de público.

Las actuaciones en esa parte de la ciudad eran casi clandestinas, pues la policía no permitía allí la presencia de menores. Sin embargo, aquellos dos adolescentes, identificándose con la necesidad de salir adelante, fueron capaces de sensibilizar a las mujeres de esos lugares quienes los ayudaron a que sus «descargas» se realizaran. Así, de cierta forma, Eliades se convirtió en una persona popular, recibiendo el seudónimo de el Cubanito por la guaracha de ese nombre que interpretaba con frecuencia. Durante las mañanas, el principiante de músico limpiaba zapatos en la Plaza Dolores, vendía periódicos, billetes de lotería, la típica bebida refrescante llamada pru, maní y raspadura, un dulce típico cubano.

Es bien sabido que con el triunfo revolucionario de 1959 comenzó una nueva etapa en la vida del pueblo cubano. También para el joven Eliades Ochoa estaría llegando una nueva manera de hacer música y compartirla con sus coterráneos. En el propio año 1959, en la emisora Radio Turquino situada en la calle Bayamo entre Cuartel de Pardos y Paraíso, cantaba a diario en el programa que se transmitía entre las siete y treinta y las ocho de la mañana. Allí el artista alternaría con prestigiosas figuras de la radio, aunque comparte esta labor con actuaciones en el bar El Batey, lugar en el que podía encontrársele todos los viernes, sábados y domingos. Ambos trabajos lo mantenían ligado a la interpretación musical hasta el año 1961.

Posteriormente, Eliades ingresó en el Consejo Nacional de Cultura y con su acostumbrada energía se dio a la tarea de recibir cursos de superación cultural en la Facultad Obrero Campesina (FOC). Con solo diecisiete años, en el año 1963, comenzó a trabajar en el programa *Ecos de la agricultura* en la emisora CMKW, actual Radio Mambí. Ya desde el año 1962, Eliades había comenzado a realizar ensayos en una casa de la calle Vargas 71, hogar del conocido músico Raúl Barbarú, fundador del afamado dúo Guevara-Barbarú por los años '40, quien le brindó su experiencia. A Eliades se le integraron también dos valiosos músicos, Manuel Calas, *el Colorao*, y Efraín Martínez. En el mismo año 1963 fue aprobado el proyecto musical *Trinchera agraria* concebido para la radio y dirigido a orientar al campesino en las nuevas tareas de la joven Revolución. Este programa, al igual que el anterior, se realizaba en coordinación con el Instituto Nacional de Reforma Agraria (INRA).

En este espacio Eliades fungía como director musical, cantante, y guitarra prima. Además se sumaron varios músicos como Radamé Carmañol, tocando el güiro y haciendo coro, y Eugenio Muñoz y Heriberto Nápoles en el bajo. Esta agrupación tenía el objetivo, dentro del diseño del programa de radio, de acompañar a los poetas repentistas encargados de cantar décimas de orientaciones a los campesinos, y también a las improvisaciones que a partir de los llamados «pies forzados», o temas para desarrollar la poesía, ofertaban los poetas invitados. Entre ellos se encontraban Luz María Pérez, *la Jibarita*, Luis Bello, Amado Padilla, Raúl Rondón y Rey Costafreda. La gran audiencia del programa se hizo evidente en el hecho de que se convirtió en el espacio de radio que más cartas recibía cada semana, y se mantuvo así hasta el año 1970.

En los últimos meses de 1969 y los primeros de 1970 Eliades se integró al Septeto Típico Oriental. En 1970 fue aceptado de manera oficial en la Casa de la Trova, para trabajar junto a Roberto Rosell como guitarra prima acompañante, y sin dejar de presentarse allí de manera habitual, formó parte del elenco artístico del espectáculo musical en

San Pedro del Mar en 1975 con Pepito Vaillant. En esos años también hizo dúo con Faustino Oramas, *el Guayabero*, músico holguinero, cuyas composiciones de letras picarescas y música cadenciosa son reconocidas en toda Cuba como representantes del buen humor y el doble sentido del cubano. Fueron esos años un período de mucha intensidad para Eliades, quien participó en la obra *Por los caminos*, del grupo Teatro Estudio, una puesta en escena dirigida por la actriz Raquel Revuelta.

Por esos años, Miguel García, delegado de Cultura de Santiago de Cuba, aprobó la creación del Quinteto de la Trova por la necesidad de ofrecer actuaciones para un número creciente de visitantes que llegaban a Santiago en busca de opciones culturales que fueran representativas de la cultura nacional.

Eliades se presentaba junto a personalidades como Manolo Castillo, Roberto Rosell Márquez, Daniel Castillo y Miguel Ángel Justí. Así, formando parte del quinteto, Eliades viajó a La Habana para participar en la Gala Cultural del Primer Congreso del Partido, y actuó luego en diversos festivales, entre los que se destacó el Festival de la Toronja en la Isla de la Juventud y en giras nacionales junto a artistas como María Remolá, Barbarito Diez, Ñico Saquito, Carlos Puebla, Omara Portuondo, Sonia Silvestre, Martha Jean-Claude y otros.

La entrega de Eliades al arte contribuyó positivamente a su desarrollo estético, aprehensión de la realidad y enriquecimiento de sus motivaciones espirituales sin subordinarse a un género específico, aunque los elementos que conforman su estilo sean tradicionales. Estos elementos propician la confianza de Francisco Cobas la O, director fundador del Cuarteto Patria, para pensar en Eliades como su sucesor en la dirección de la agrupación, y así se lo propuso en el año 1978. Esta invitación sería aceptada por Eliades, quien se incorporó en ese mismo año en sustitución de Rigoberto Hechavarría, conocido como Maduro, maestro del cuatro armónico. Comienza así una nueva etapa en la vida de este ya histórico cuarteto santiaguero.

A partir de ese momento el Cuarteto Patria quedaría conformado de la siguiente manera:

- Eliades Ochoa. Director, arreglista, voz y guitarra prima.
- Francisco Cobas la O. Voz y guitarra segunda.
- Hilario Cuadras. Maracas y voz.
- Aristóteles Limonta. Contrabajo.

Al frente de la agrupación, decidió introducir el bongó, por considerar que sin este instrumento y el aporte sonoro de sus dos tambores, el hembra y el macho, no es posible interpretar el son.

Cuando sus admiradores comenzaron a escuchar las grabaciones, pensaron que Eliades interpretaba el famoso tres cubano. Sin embargo, él toca una guitarra híbrida de ocho cuerdas con el sonido del tres cubano, con una afinación diferente a la de la guitarra normal. Se patentiza, pues, esta invención propia de su creación. Hacía más de quince años había descubierto las posibilidades sonoras de duplicar las cuerdas, reafinándolas una octava por arriba de la manera tradicional. Luego hizo lo mismo con la cuerda *mi* y la cuerda *la* y creó así un sonido único y distintivo en para las interpretaciones del grupo.

Eliades asimiló el repertorio del Patria con su estilo propio. Como arreglista brindó frescura a los números musicales que interpretaban, a la vez que defendía la elegancia tradicional de los mismos. De manera muy auténtica demostró capacidad introspectiva y en el plano formal, los recursos expresivos con que contaba le sirvieron como gancho para demostrar el amor por la buena música cubana. Su estilo como guitarrista le imprimió un nuevo sello al grupo, sin ignorar el gran aporte histórico de aquellos grandes maestros como Pepe Sánchez, autor de canciones como *La esperanza,* uno de los temas preferidos por Eliades.

Por esos años, Eliades integró el jurado para evaluar a las agrupaciones de música campesina en Santiago de Cuba, junto a prestigiosas figuras cubanas del arte entre las que se encontraban Ramón Veloz y Raúl Lima.

A finales de 1979 el Cuarteto Patria fue seleccionado como Mejor Grupo de Música Tradicional Cubana en Santiago de Cuba, estímulo que hizo posible su presencia en La Habana como invitado al Festival Adolfo Guzmán del año 1980, concurso de la composición e interpretación musical con carácter nacional que se celebraba en el capitalino teatro Karl Marx. Allí Eliades Ochoa hizo un reconocimiento a Rafael Cueto, el integrante del Trío Matamoros quien compartió como espectador esta gran gala. También en 1980 el Patria participó en el Festival Internacional de Varadero, y se concretó la grabación de su primer disco en los estudios Siboney de Santiago de Cuba, con el título «Harina de maíz criolla».

Durante ese año el Cuarteto Patria realizaría la primera gira artística internacional, cuando participó en el Festival Carifesta, que incluía actuaciones en Granada, Barbados y Curazao. En Leningrado en, 1983, Eliades y el Patria realizaron presentaciones durante los llamados Días de Santiago. En 1984 participaron nuevamente en el Festival Internacional de Varadero.

Una mañana del año 1986, Francisco Cobas, *Pancho*, miembro del Patria, quien había puesto en manos de Eliades la dirección del cuarteto, le presentó a Francisco Repilado, *Compay Segundo*, que estaba alejado de la música y se dedicaba solamente a componer y a hacer tabacos. Eliades quedó sorprendido, porque desde pequeño lo escuchaba junto a Lorenzo Hierrezuelo en el prestigioso dúo Los Compadres, a través de la radio. El encuentro sirvió para que Repilado le entregara un casete con varias piezas musicales, con el deseo de poder incorporar al repertorio del grupo Patria algunas de sus composiciones. Eran temas conocidos en mayor o menor grado, pero había uno en particular del que Repilado no mencionó el nombre, pero le expresó a Eliades: «Muchacho, escucha esta grabación, hay una pieza que te va a gustar». Al día siguiente, en la Casa de la Trova de Santiago de Cuba, dialogaron sobre el tema y Eliades le dijo a Compay Segundo: «Este número es *Chan-Chan*». Así apareció este son, que para cubanos y extranjeros es considerado como una pieza antológica de la música cubana, por el preciosismo que encierra.

Las relaciones entre Eliades y Repilado dejaron huellas en ambos con el transcurso de los días. Así lo expresan las excelentes «descargas» que se producían en los ensayos del grupo Patria, que trajeron como resultado el reintegro definitivo de Compay Segundo a la música. Ambos compartieron actuaciones en el programa *Alegrías de sobremesa*, de Radio Progreso, una de las más importantes emisoras nacionales, con base en La Habana. Los dos regresaron a Santiago y continuaron trabajando en el cuarteto. En 1989, Francisco Repilado participó como invitado del Patria en el XX Festival de Culturas Tradicionales, el Smithsonian Folkways en Washington, donde recibieron reconocimientos, especialmente por las actuaciones que difunden la cultura tradicional cubana. En esos momentos el Patria estaba integrado por Eliades Ochoa, Joaquín Solórzano, Benito Suárez y Armando Machado. Rolando González, realizador de programas de la televisión nacional cubana se percató de la popularidad de Eliades Ochoa y Francisco Repilado, y realizó para la emisora santiaguera Tele Turquino varios programas de televisión, que en la actualidad se atesoran como parte del archivo de nuestra televisión cubana.

A partir de estos encuentros con Repilado, se planteó la posibilidad de que el Cuarteto Patria realizara la grabación de su segundo disco, que titulara «Chanchaneando con Compay Segundo», para el que Eliades invitó al destacado artista a unirse al Cuarteto Patria y se interpretó así un variado repertorio de la cosecha de Segundo, en el que se encuentra el nombrado *Chan-Chan*. Años después, concretamente en 1998, se realizó una segunda edición de este disco. En su trabajo al frente del Patria, Eliades reforzó su faceta como arreglista y su sentido del gusto. Su elegancia y una fina percepción estética hicieron que el cuarteto exhibiera una sonoridad diferente de otros grupos de música tradicional cubana. Varios títulos son ejemplos de brillantes arreglos realizados por Eliades, que son interpretados, además del Patria, por otros grupos. Podríamos citar, *Yo soy el monte* de Calixto Cardona; *La Gioconda*, una pieza instrumental, el *Chan-Chan*; *Entre las flores*, de Manolo Castillo y *A la Casa de la Trova*, de Julio Rodríguez, entre otras muchas composiciones.

La agrupación participó en variadas actividades culturales dentro y fuera de Santiago de Cuba, tales como Festivales de la Trova, y homenajes a destacadas personalidades. De igual modo realizó múltiples grabaciones con la Empresa de Grabaciones y Ediciones Musicales (EGREM). Es el director y amigo Julio Ballester quien se interesaría porque el artista se vinculara a este sello discográfico cubano.

Posteriormente, se produjeron algunos cambios dentro del grupo Patria. Al morir Hilario Cuadras, maracas y voz prima del cuarteto, se incorporó Joaquín Solórzano quien se desempeña magistralmente con el bongó, y ya realizaba algunos trabajos con el cuarteto. Con la presencia del bongó el grupo desarrolló la sonoridad diferente y singular que buscaba Eliades. Por esta época también se jubilaron Francisco Cobas y Aristóteles Limonta. También hay que mencionar a músicos cuyo paso por la agrupación fue muy efímero, entre ellos Benito Suárez como voz y guitarra acompañante y Armando Machado que se desempeñaba en el contrabajo. Estos nuevos valores sustituyeron a varios fundadores, fieles servidores de la música tradicional. El grupo así conformado participó en la grabación del primer disco compacto «A una coqueta» en Santiago de Cuba y México entre 1986 y 1993 por la discográfica Corazón. A esta grabación se incorporaron Francisco Cobas y Aristóteles Limonta ya jubilados, además de Humberto Ochoa, en la guitarra y voz segunda. En el año 1994 Humberto Ochoa, hermano de Eliades, se integró definitivamente a la agrupación, también Roberto Torres Creach en el bongó y William Calderón en el contrabajo; en este año viajan a Venezuela y España donde grabaron otro álbum titulado «Ay, mamá, qué bueno». En la factura interpretativa el son que entrega el grupo Patria está mayoritariamente defendido con galantería y sabrosura. Se hace agradable escucharlo por su evolución melódica, rítmica, con improvisaciones y coros de gran sabor cubano, desarrollo alcanzado a partir de las riquezas culturales que ha acumulado con el paso de los años.

Eliades es un improvisador espontáneo de gran vis cómica, siempre sonriente y alegre lo vemos en San Félix y Heredia, en pleno parque Céspedes, compartiendo con sus amigos cuentos y tragos de ron; sus actitudes éticas denotan modestia y serenidad, siempre portando un sombrero de vaquero que lo ha identificado tanto en Cuba como en el extranjero.

Su música es el diseño del tiempo en el que el rigor profesional está presente; la banalidad y el puro comercialismo desaparecen, pues el grupo que dirige nos tiene acostumbrados al preciosismo y a transitar por el recuerdo de viejas canciones, lo que revela dominio en el oficio.

En 1995 la agrupación comenzó a ser nombrada Eliades Ochoa y el Cuarteto Patria, forma en la que se le menciona como su figura central. El Cuarteto Patria difiere de otros grupos porque posee un estilo propio, sus admiradores y el público en general así lo expresan. Los años transcurridos denotan que estamos en presencia de una agrupación defensora de la música tradicional cubana, que tras diversificar ritmos de la cultura popular, hace realidad la inserción cultural en Cuba y en el extranjero.

Sus integrantes de aquel momento instalaron en cada interpretación matices especiales que giraban alrededor de Eliades, guitarra y voz prima. Los coros se hilvanan, junto al lirismo éticamente encausado de Humberto Ochoa, en la guitarra acompañante. Despacio se desplazaban los tambores del bongó de Roberto Torres y el contrabajo de William Calderón. Como broche, estaba la original manipulación de las maracas de Eglis Ochoa Hidalgo, quien desde el comienzo mantiene una armonía inmutable.

En su actual repertorio se han reflejado las genuinas tradiciones del cancionero popular cubano. Su música ha brillado en disímiles escenarios nacionales y extranjeros, pues han actuado en Nicaragua, Barbados, Granada, Curazao, República

Dominicana, Rusia, los Estados Unidos, Venezuela, Inglaterra, Alemania, España, Bélgica, Francia, Holanda, Martinica, Canadá, Colombia y Noruega. Muchos de estos países han sido visitados por ellos en más de una ocasión.

La admiración internacional por el grupo es notoria, así lo confirman algunos colegas de Eliades que cultivan otros géneros y han compartido con él en Europa actividades donde la música tradicional ya disfruta de admiradores. También lo manifiesta la crítica especializada. Un ejemplo fue el concierto realizado en 1995 en Londres, en el Queen Elizabeth Hall, que duró más de dos horas; cuando Eliades anunció el final, una pareja del público comenzó a bailar en el pasillo y, de inmediato, decenas de inquietos espectadores le siguieron y, con el aplauso de los demás, los pasillos se convirtieron en verdaderas «pistas de baile». Esta acción sorprendió a todos por lo inusual de la práctica del baile en ese lugar.

El estilo interpretativo se debe a concepciones propias de la zona oriental del país, fundamentalmente de Santiago de Cuba. La resonancia deleita por la originalidad y sensibilidad musical, algo que se expresa en la interpretación de boleros, guarachas, sones que datan de los años veinte y treinta y algunas composiciones más recientes, pero que mantienen el estilo tradicional.

En 1996 la EGREM realizó la grabación, en los Estudios Siboney de Santiago de Cuba, de otros dos discos compactos, titulados «Son de Oriente» y «Eliades Ochoa y el Cuarteto Patria», este último obtuvo una Mención Especial en el Festival Cubadisco de 1997 en La Habana. El grupo Patria, que data del año 1939, expresa en estos momentos una evolución dentro de la trova tradicional, que difiere de la creada a finales del siglo XIX y principios del XX, cuando priman en muchos textos, sentimientos melancólicos, y de carácter pausado. A pesar de ello, la agrupación utiliza composiciones que no se apartan del género tradicional, pero que tienen un marcado carácter vivaz y picaresco, lo que las hace más contemporáneas. A través de estas obras, Eliades expresa sus facultades naturales. Impresiona, con las libertades rítmicas que utiliza, elementos que no podemos desarrollar con estudios, porque solo los posee quien nace con ellos. Eliades demuestra así una visión propia a la hora de tocar la guitarra, de improvisar, cantar, posibilitando el fortalecimiento de su base trovadoresca tradicional. Se apoya, además, en otros elementos, tales como coros, falsetes, felmatas, que permiten en su conjunto diferenciar esta agrupación del resto de aquellas que trabajan la música cubana.

Eliades, conocedor de innumerables obras de Miguel Matamoros, maestro y fuente inspiradora para muchos artistas, ha expresado a quienes admiran esta música unas palabras que a su juicio mantienen en él la vigencia con la que fueron dichas por Matamoros: «Nosotros, los trovadores, cantamos a la vida desde la vida. En la muerte, seguimos cantándole a la vida».

Capítulo III
De Santiago para el mundo, una leyenda viva

En el mes de marzo del año 1996, Eliades Ochoa fue seleccionado por Ry Cooder, —destacado artista norteamericano— para trabajar junto a algunos músicos cubanos, como Francisco Repilado, *Compay Segundo*, Manuel, *el Guajiro*, Mirabal, Omara Portuondo, Raúl Planas, Juan de Marcos González y otros artistas. Junto a ellos y Joachim Cooder, hijo de Ry y de Susan Titelman, famosa por su desempeño en el arte de la fotografía, estuvieron acompañados, además, por el dueño de la discográfica inglesa World Circuit Ltd. Records, Nick Gold, quedando así conformado un proyecto artístico del que se hablaría mucho a partir de ese momento. Este encuentro con Eliades fue posible gracias a Juan de Marcos, músico que reorganizó a los artistas del disco «Buena Vista». Eliades se encontraba en Santiago, recién llegado de una gira internacional, y De Marcos utilizó el programa de radio que dirige el maestro Eduardo Rosillo, en La Habana, para localizarlo, porque era urgente que viniera a la capital para encontrarse con los demás músicos, Ry, Nick y Compay. Resultó una experiencia muy fraternal que posibilitó un magistral trabajo.

En él quedó sellada la calidad interpretativa desplegada por los artistas en todos los números, que están adornados por las muy personales formas de cantar y tocar de cada uno de ellos. Todo en función de enriquecer dicho álbum al que posteriormente titularían «Buena Vista Social Club». Muchos medios de prensa y especialistas discográficos han manifestado que el repertorio utilizado en esta grabación mantiene vigencia y frescura dentro del contexto actual. Obras como el *Chan-Chan*, *El carretero* o *El cuarto de Tula* así lo expresan. En ellas Eliades se manifiesta como vocal y guitarrista que exterioriza su timbre y diapasón característicos.

En junio de 1996, viajan a Francia y durante la faena artística conocen al multipremiado músico nigeriano Manu Dibango, maestro del saxofón, quien le propone a Eliades grabar un disco compacto. Como resultado quedó sellado un grato momento logrado con la música del Cuarteto Patria y la que cultiva Manu Dibango. Este disco, junto a «Buena Vista Social Club», comienza a difundirse en el mercado musical a partir de 1997, cuando obtuviera ese año un Grammy y otras numerosas nominaciones por sus siguientes álbumes.

A «Buena Vista Social Club», en su última versión, le fue otorgado el premio Grammy 1997 en Nueva York en la categoría de Música Tropical. El mismo, además de contar con la más exigente crítica, también consiguió sustanciosas ventas entre auditorios diferentes, pero cargados todos de afinidad cultural por los latinos quienes descubren en muchos casos esa cercanía por primera vez.

En julio de 1997, Eliades y el Cuarteto Patria actuaron en Canadá. En octubre lo hicieron en Martinica y a principios de 1998 viajaron a Colombia, donde participaron en los carnavales. El cuarteto acompañó a la destacada artista cubana Omara Portuondo, así como a María Ochoa, baluarte de la interpretación de la música campesina cubana y hermana de Eliades. Durante los primeros días del mes de abril de 1998, Eliades, junto con los artistas integrantes del álbum «Buena Vista Social Club», participó en dos conciertos en Ámsterdam en el Carre Theatre, donde interpretaron ese abanico musical que una vez más sería premiado con aplausos y complacencias del público.

Recién llegado de Holanda, Eliades y el Cuarteto Patria viajaron a Noruega donde participaron en el Festival de Música Blues, actuación que formó parte de un proyecto artístico que habían concebido, la realización y grabación de otro disco, esta vez con un maestro del armónico, el artista norteamericano Charlie Musselwhite.

Apenas terminado el festival comenzaron una gira artística con la prestigiosa compañía musical española Yeiyeba, y Músicas del Mundo. En declaraciones que sus miembros hicieran a los medios de prensa consideraron al grupo como «emblemático, particular y muy personal» bajo la conducción de Eliades Ochoa, quien sin renunciar a la historia del grupo lo abrió hacia un público más joven y lo conectó con las nuevas generaciones de músicos del oriente cubano.

Durante la gira musical realizada entre abril y septiembre de 1998 por Eliades y el Cuarteto Patria con Yeiyeba y Músicas del Mundo, comenzó otra etapa en que la agrupación se presentó en diferentes escenarios europeos, coincidiendo con colegas de otros grupos como La Vieja Trova Santiaguera, Estudiantina Invasora, Compay Segundo y sus Muchachos y los integrantes de algunos conjuntos musicales procedentes de la capital cubana. El proyecto incluyó países ya conocidos por Eliades y el Patria, como Holanda, Bélgica, Alemania y Francia, además de otros visitados por vez primera como Portugal, Suiza, Italia. En algunos estos países a Eliades y su agrupación les fueron otorgados varios Discos de Oro y Platino por sus cuantiosas cifras de ventas. Por igual motivo, también recibieron el Disco de Platino con «Buena Vista Social Club».

En una posterior gira, viajaron hasta los Estados Unidos y participaron junto al colectivo Buena Vista Social Club en un concierto magistral en Nueva York, en el Carnegie Hall. Al retornar a Madrid después del encuentro con amigos y admiradores de la música cubana, Eliades incorporó los conciertos dentro de la empresa Yeiyeba que le representa. En las actuaciones dialogó frecuentemente con Rubén Carabaca, investigador y representante de la empresa, y además admirador del Cuarteto Patria, quien le manifestó el criterio de que debía tener una casa discográfica fuerte que lo respaldara. Para ello le presentó a la señora Lidia Fernández, dueña y presidenta de la Virgin Records, actualmente EMI, quien le había escuchado en vivo en varias actuaciones. Después de conversaciones entre ambos, llegaron al acuerdo de que Eliades se convertiría en artista exclusivo de esa prestigiosa firma discográfica. Finalizó la gira artística y, ya en Santiago de Cuba, le aguardaban a Eliades amigos de la EGREM y de la televisión holandesa que formaban parte de un proyecto de filmación, quienes sumados a los habituales seguidores de su música le otorgarían un cálido recibimiento en la Casa de la Trova santiaguera.

Al poco tiempo, en noviembre de 1998, y a solicitud de la discográfica Corazón, la misma que había estado a cargo de uno de sus primeros discos, Eliades viajó a México. Aunque se había presentado ya en escenarios aztecas en el año 1989 por primera vez, esta nueva visita se caracterizó por una fuerte promoción en todos los medios de difusión. Los lugares en los que se celebraran los conciertos se abarrotaron de público y tanto en el teatro Metropolitano como en el Hard Rock Cafe, el son, la guaracha y el bolero formaron parte del reencuentro entre el público mexicano y la agrupación cubana.

Como protagonista de este renacer con la discográfica Virgin Records, Eliades planeó realizar un trabajo de carácter retrospectivo, con la motivación de grabar un nuevo disco. Le acompañarían las memorias de las «descargas» trovadorescas y los programas de *Trinchera agraria* de la emisora CMKC de Santiago de Cuba. Todo el material se preparó con trabajo y paciencia y como parte del proyecto el artista recibió la visita en Santiago de Cuba del señor Antón Corvyn, fotógrafo y verdadero maestro en su oficio, quien le realizaría más de doscientas fotos en los más diversos y significativos sitios de la ciudad, dando cumplimiento a la encomienda de la casa discográfica madrileña.

Seleccionado el repertorio y como parte del trabajo de mesa, previo a la grabación, se discutieron los temas escogidos con los músicos del Patria. Eliades invitó a los trompetistas Aníbal Ávila, integrante del Septeto Turquino y a Juan Casas, de la orquesta Son 14 a participar en dos temas, *Píntate los labios*, *María* y *Saludos, Compay*. Utilizando su guitarra, Eliades les mostró lo que quería de ellos.

Luego, en los estudios de la EGREM de Santiago de Cuba se realizaría la prueba de grabación del disco, para el cual ya se había logrado conformar un repertorio con temas, de diferentes épocas y para diversos gustos. Muy pronto se confirmó la fecha de viajar a los Estados Unidos para realizar la grabación de un disco en los estudios Ocean Way de Los Ángeles, California. Eliades se entregó como siempre al trabajo y se enfrentó al escaso tiempo con mucha fe en sí mismo, seguramente porque porta el collar blanco de las Mercedes, *Obatalá*, que le profetizara: «TODO LLEGA».

La bienvenida a Los Ángeles se materializó con un caluroso abrazo del señor John Wooler, prestigioso productor, el que junto a Clark Germain, ingeniero de sonido, conformaba el equipo de grabación.

Amigos y admiradores de Eliades le visitaron para que colaborara en el álbum, entre ellos Charlie Musselwhite, quien como siempre disfrutó con soltura y precisión la música que toca en su armónica para el tema *Teje que teje*, una melodía familiar para él por haber estado incluida en una grabación que ambos artistas habían realizado en Noruega en el año 1997. También participaron el amigo Ry Cooder, admirado por Eliades, quien lo considera muy inteligente en sus proyecciones dentro de su oficio, Joachim, hijo de Ry, así como David Hidalgo y César, integrantes de Los Lobos. Todos ellos aportaron excelentes pinceladas para abrillantar el resultado de la grabación discográfica.

La estancia en el hotel Hollywood Roosevelt fue muy agradable para todos y un momento lleno de anécdotas y triunfos para la historia cultural cubana. La barrera idiomática no resultó un obstáculo para que Eliades disfrutara de la presencia de Ben Harper,[1] conocido por las famosas guitarras que él mismo construye, y de la cantautora británica Beth Orton.

Al retornar a Santiago de Cuba, después de la grabación, Eliades recibió la noticia de que a él, junto al Cuarteto Patria y a la figura de Francisco Cobas la O, su fundador, les

[1] Músico y cantante de renombre internacional conocido por sus aportes a la fabricación de instrumentos de cuerdas. *(N. del E.)*

sería dedicado el Festival Nacional de la Trova Pepe Sánchez, nombre alusivo al padre del bolero. En su honor, cada año en el mes de marzo se celebra este festival en Santiago y se le dedica a personalidades de la trova. En él se celebran además conferencias magistrales, tertulias con trovadores de toda la Isla, y «descargas» con artistas invitados Cuba y de otros muchos países.

El evento de ese año 1999, en su edición treinta y siete, contó con un público que desde horas tempranas hasta muy tarde en la noche compartió la música de estos trovadores. Una colega, analista de programas de televisión comentó: «Este es el penúltimo año del siglo XX, en que la trova santiaguera dedica su festival a Eliades Ochoa, Pancho Cobas y al Cuarteto Patria». Allí estuvieron presentes *Las perlas*, de Sindo Garay, *Tristezas*, de Pepe Sánchez y *Las rosas* de Pablito Armiñán, temas que penetran en la guitarra de Eliades, se hacen dueñas de su voz y el cantante repite en el son, en el bolero o en la guaracha: *¡Santiago!*

Ya por esos años se habían cumplido veinte de la entrada de Eliades al Cuarteto Patria y su repertorio constituyó una remembranza de las principales obras de los más destacados compositores e intérpretes de la música tradicional cubana. Había compartido ya escenario junto a Faustino Oramas, *el Rey del Doble Sentido*, con Barbarito Diez en su última actuación en el teatro Martí de Santiago de Cuba, y también con otros colegas cultivadores de la buena música.

Antes de concluir el Festival de la Trova, a mediados de marzo, Eliades y el Cuarteto Patria viajaron a Madrid para realizar la promoción del nuevo disco «Sublime ilusión», título que responde al bolero del trovador Salvador Adams y que incluye otros temas de apreciable melodía, como *Mi Magdalena*, *Mi sueño prohibido* y *Pedacito de papel,* a los que Eliades les impregna donaire, contemporaneidad y frescura para el disfrute de sus admiradores.

La presentación oficial del disco, el primero grabado con Virgin Records, fue realizada el 25 de marzo de ese año en Madrid, España.

La Nave de Terneras en Madrid sirvió de sede a la importante presentación discográfica, en la que se logró un ambiente muy cubano. En el recinto estaban reunidas las máximas representaciones del sello musical de Europa y América, además de relevantes figuras de la televisión, la radio y la prensa madrileñas. Durante el concierto, al interpretar algunas obras presentes en la grabación, el público vitoreó a la agrupación santiaguera en reiteradas ocasiones. Entre los números interpretados estuvo la pieza *Píntate los labios, María* popularizada en la década de los años sesenta por el inolvidable músico Roberto Faz y que después de más de treinta de olvido Eliades había rescatado, imprimiéndole el estilo del grupo Patria, y poniéndola en los labios de millones de espectadores de diferentes partes del mundo.

Eliades expresó en aquella ocasión:

> Para orgullo nuestro, el año comenzó con son, pese a todos los malos momentos por los que atravesó, tenemos mucha ilusión porque se escuche y guste el disco. Las colaboraciones resultan importantes para mí, es un mestizaje cultural, y se evidencia una vez más que la música no tiene fronteras…

Hemos de remitirnos siempre a la rica fuente cultural que Cuba posee, sus frutos se reafirman en las obras de compositores e intérpretes de varias generaciones. En 1996, Ry Cooder y el «Buena Vista Social Club» descubren a algunos artistas que estaban olvidados, les quitan el polvo a obras de mucho brillo y las trasladan a sitios impensables de nuestra música. Muchas empresas discográficas ayudan al disfrute y difusión de lo más autóctono de este repertorio tradicional. Una muestra la constituye el disco «Sublime ilusión» fruto de la evolución enriquecedora de Eliades Ochoa, en un momento en que su estilo trasciende a escenarios muy diversos, para admiradores que disfrutan la eclosión de la música tradicional cubana.

La garantía del éxito para un artista es saber hacer bien lo propio, la propuesta de Eliades se define en sones, guajiras, boleros y es capaz de transportar su país a aquellos que no lo conocen. Dialogando en cada concierto, deja perplejos a los asistentes, transmitiendo al público todo el conocimiento empírico que sobre la música ha acumulado. Eliades nos conduce a la preeminencia por la música, inserta en el son la trova y el sonido es distintivo; enriquece este género con su auténtica espiritualidad musical, que lo hace prolífero sin abandonar la condición de trovador. El repertorio no lo exonera de cambios, porque su música no tiene fronteras ante ningún ritmo, melodía o folklore, haciéndolos coincidir y fundiéndolos. Eliades es uno de los mejores exponentes de la música cubana cuando al repertorio de diferentes épocas y gustos les incorpora sus ideas. Por ejemplo, en las trompetas que utiliza en dos de las canciones del «Sublime ilusión»: *Píntate los labios*, *María* y *Saludos, Compay*. Los arreglos fueron realizados por este artista empírico, en su casa, utilizando la guitarra y mostrando con ella lo que quería escuchar de sus músicos, con los que se comunica hasta lograr lo deseado de los temas.

Interpreta con soltura *Píntate los labios, María* al igual que otras canciones, retomando en sus solos de guitarra fragmentos de *La leyenda del beso* o *Amor de hombre*[2] al estilo cubano, lo cual resulta interesante y curioso. Esta melodía fue escuchada con éxito masivo a lo largo y ancho de España y tal aporte de Eliades fue recibido como un recurso muy personal del músico, especialmente cuando improvisó con la guitarra, incorporando dos temas donde la mujer es la razón principal.

[2] Obviamente, la autora se refiere a *La leyenda del beso*, zarzuela en dos actos, el segundo dividido en dos cuadros, en prosa y verso. Texto original de Enrique Reoyo, Antonio Paso Díaz y José Silva Aramburu. Música de Reveriano Soutullo y Juan Vert. Estrenada el 18 de enero de 1924 en el teatro Apolo de Madrid. *(N. del E.)*

Pese a la prevalencia de ritmos foráneos, el disco es un abanico musical que aviva la razón y trata de trascender más allá de la comunidad de amantes de esta música.

En piezas como *Saludos, Compay*, *Mi guajirita* y *Teje que teje* reinan la realidad de la campiña cubana, su olor a rocío, a caña, a guardarraya, en un dialogo íntimo donde aún subsisten palabras como: «Compay, comay, guajirita, guarachar, montuno, sinsonte, pitirre, y contunto» por solo mencionar algunas que marcaron la infancia de Eliades Ochoa. Al interpretar estas canciones les incorpora anécdotas, sueños y esperanzas. No podría pasar inadvertida la brillantez con que sus compañeros ejecutan los arreglos realizados por el director, incorporando espontáneamente estribillos que devienen momentos capaces de seducir a cualquier oyente. Aunque la fugaz estatua de la vida sea el tiempo, Eliades precisa de él para seguir cantando en los diferentes escenarios.

Del álbum se disfruta todo el repertorio y el artista ha sido muy exigente con él, por ejemplo el tango *Volver* de Gardel y Le Pera, que interpreta al estilo de bolero, género en el que ha demostrado dominio. Cuando *Volver* se escucha como bolero, lo identificamos, se siente más dentro, sin perder su esencia, pues Eliades le impregna una intensa carga dramática, emocional, y sorprende a todos quizás con aire de melancolía, porque en él hay mucha historia, lo mismo que cuando interpreta los restantes boleros del disco.

La veterana agrupación en este disco contó con la participación de Charlie Musselwhite en la canción *Teje que teje* y la guitarra tejana de David Hidalgo, de la afamada agrupación Los Lobos, en la pieza *Qué humanidad*. Además, participaron Ry Cooder y Joachim Cooder en *La comparsa*, de Ernesto Lecuona, y Luis González realizó el doblaje de la trompeta en las canciones *Píntate los labios, María* y *Saludos, Compay*.

Caminando y conmoviendo público de diferentes latitudes este artista santiaguero fue premiado en *Lucas*, la fiesta del vídeo-clip musical cubano, un premio creado por este programa de gran audiencia televisiva, en los que su clip se alzó con cuatro estatuillas. Durante todo ese año el vídeo-clip *Píntate los labios, María,* realizado por el maestro Juan Padrón, hoy Premio Nacional de Cine de Cuba, complació al público cubano, especialmente a los niños. Por vez primera, aparecían en un video de música cubana los dibujos animados realizados estos también con inmenso profesionalismo. La mujer, que es la protagonista del video, se muestra seductora, pícara y amorosa.

La imagen de Eliades llega por vez primera a la isla caribeña con este video, porque en el extranjero, a través del triunfo del disco y el filme documental *Buena Vista Social Club* ya le conocían, sobre todo cuando interpretaba *Chan-Chan*, *El cuarto de Tula* o *El carretero*, obras repetidas en cada concierto porque el público siempre las reclama. Y es que este artista lleva la impronta santiaguera tanto en Cuba como fuera de ella. Predomina en él la dicción clara. El timbre de la voz se mantiene potente, brioso, rítmico, unido a la resonancia distintiva de la guitarra-tres, permaneciendo en la actualidad, más de tres décadas después de su llegada al Cuarteto Patria, como primer vocalista y guitarrista.

Las presentaciones del Patria en el extranjero durante ese año 1999 resultaron espectaculares. Durante la octava edición del Festival WOMAD, en Cáceres, Eliades actuó ante un auditorio de veinticinco mil personas que habían estado durante horas esperándole, debido a que por motivos de trabajo y del intenso tráfico llegó tarde, aunque sus compañeros del Cuarteto Patria ya se encontraban en la sede de la presentación. Ante las exigencias del público los organizadores del evento accedieron a que el Patria hiciera el cierre del recital. La cosecha musical de Eliades se extendió así por muchos sitios de España, como Alicante, Lugo, Santiago de Compostela, Barcelona y Zaragoza. Participaron en la III Edición del Festival de Murcia ¡Qué linda eres!, junto a prestigiosas figuras del arte como El trío Los Panchos, Sergio Dalma, Niña Pastori, Rocío Jurado, Chayanne y otros.

En Madrid, Eliades interpretó en tono reposado temas frescos correspondientes al primer álbum grabado con la Virgin Records: «Sublime ilusión» y acaparó la atención de los admiradores madrileños con la variedad del repertorio y su personal estilo de cantar. Son recordadas sus actuaciones en la Plaza Mayor por las Fiestas de San Isidro, en la Sala Clamores o en Las Vistillas para las Fiestas de la Paloma, otro espacio donde el artista disfrutó de la acogedora familiaridad de la audiencia, debido a que volvió a demostrar su actuación espectacular.

A finales del mes de julio Eliades y el Patria cumplimentan una invitación para participar en la Convención Mundial de Virgin, en Manzanillo, México. En la gala el músico Charlie Musselwhite interpretó junto al grupo piezas conocidas ya como *Teje que teje, Qué te parece, Cholito* y otros temas para recordar gratos momentos compartidos en otros escenarios y salas de grabaciones.

El filme *Buena Vista Social Club* en el que participara Eliades Ochoa, coincidió con la celebración de conciertos y viajes de promoción en Francia, Holanda, Alemania e Italia. En este último país Eliades visitó Roma, Palermo, Alberobello y Bari, ciudad donde lo nombraron Hijo Ilustre ante diez mil personas. Todos allí compartieron junto a él la emoción del honor conferido. De regreso a Cuba, la señora Lidia Fernández le informó a Eliades sobre la nominación del álbum «Sublime ilusión» para los premios Grammy en la categoría *Tropical and Latin Performance.* Esto fue motivo de gran alegría para los españoles, al ser el primer álbum de esta discográfica que obtenía una nominación en estos importantes premios de la música a nivel global. Además, esta agrupación fue nominada junto con otro CD, bajo el título de «Continental Drifter» de Charlie Musselwhite, para la categoría *Best Contemporaneo* y *Best Contemporaneo Blues Album*, destacándose en él la participación de Eliades Ochoa y el Cuarteto Patria.

En este momento Eliades es un guajiro cubano enfrentando el difícil y comprometido medio artístico a la vez que construye su camino. No le importa el país al instalar diálogos de valores humanos, la expresión musical utilizada la exterioriza en sentimientos y alegría para poner los pelos de punta. Entonces sus admiradores saben reciprocarle la entrega con prolongados aplausos, en cada actuación.

Música del corazón fue lo apreciado en sus presentaciones en Canadá. Algo similar ocurriría en Boston, Finlandia, Washington, Los Ángeles, San Francisco, Nueva York y Puerto Rico en septiembre de 1999 durante su primera gira artística por los Estados Unidos bajo los auspicios de la discográfica madrileña.

Al saberse sobre las presentaciones de Eliades y el Patria, comenzaron a agotarse las entradas con semanas de antelación a los conciertos y llegaron a estar muy repletos de público todos y cada uno de los lugares de actuación. Anunciada su presentación en el Kennedy Center de Washington, se esperaban quinientos invitados y asistieron cerca de cuatro mil, hecho que quedaría registrado en la historia del lugar.

Otras sorpresas fueron las actuaciones de Eliades en el teatro Roxy, en Los Ángeles, en el Galaxy Theater de Santa Ana y en el Carnegie Hall de Nueva York y el Millenium Stage del Kennedy Center en Washington.

En el Latin Jazz First Pack a Solid Punch, en Los Ángeles actuaron los treinta minutos autorizados por el reglamento organizativo, y con la primera canción el público disperso se concentró para disfrutar de temas como *El cuarto de Tula*, *Píntate los labios, María*, *El carretero*, *Chan-Chan* y otras interpretaciones reclamadas por los espectadores.

Con la casa discográfica Virgin Records de España, Eliades grabó un nuevo disco, «Tributo al Cuarteto Patria», para homenajear los sesenta años de la agrupación y sus fundadores, músicos que hicieran posible mantener vivas en la preferencia del público las canciones tradicionales. En especial la nueva grabación estaría dedicada a Francisco Cobas la O, fundador de la agrupación Patria y de La Vieja Trova Santiaguera, quien en 1978 depositó toda su confianza en Eliades, para que entrara a la agrupación que dirige actualmente. Este disco significó el inicio de una nueva etapa creadora de la agrupación y para su director, a quien internacionalmente y se le respeta como una leyenda viva del son cubano.

Participaron en el disco «Tributo al Cuarteto Patria» artistas como Faustino Oramas, *el Guayabero*, la cantante de la música campesina María Ochoa, el contrabajista Armando

Machado, antiguo miembro de la agrupación, al igual que el percusionista Joaquín Solórzano y otros que han formado parte de ella a lo largo de estos años.

En este disco homenaje encontramos piezas como: *Si en un final, Cuando ya no me quieras, Yiri yiri bon, Calderito de tostar café* y *Tiempo entero,* entre otras. La poesía, el amor y los elementos del costumbrismo criollo están presentes en las guarachas y sones, junto a la picardía del oriental en los textos. Pero aunque los sonidos provienen de añejos temas, que se trabajan poco, el grupo Patria los revitaliza, recreándolos con sangre joven, en lugar de conformarse con reiterar fórmulas ancestrales.

Asimismo, la agrupación reconoce la importancia de los elementos africanos y los utiliza en algunos textos o «descargas». «Sin lo negro, los géneros cubanos se quedan insípidos», afirmó Diego Manrique, investigador y crítico madrileño que estuvo durante la grabación del disco «Tributo...» y que en la actualidad es un admirador del Patria.

En el año 2001, después de tantos compromisos nacionales e internacionales, Eliades se encontraba en Los Ángeles, California, cuando recibió la noticia de que el disco «Tributo al Cuarteto Patria» había sido nominado al Grammy en la categoría de *Best Tradicional Tropical and Latin Performance.* La SGAE en Madrid ese año también premia el disco como Mejor Álbum de Música Tradicional.

La prensa valoró como positiva cada entrega del artista cubano, que apoyado por una fuerte promoción recogía frutos en todo el mundo. Revistas especializadas se hacen eco de ello y destacan cómo Eliades valoriza la música cubana en sus actuaciones, a la vez que asesora a agrupaciones como Los Guanches, Guamá, José, *Pepecito*, Reyes o Las Hermanas Ferrín. A ellas les había comentado, a principios de 1998, el deseo de reincorporarlas a la vida cultural, porque él no podía permitir semejante silencio de las mejores voces femeninas de su generación. Luego de hacer efectivas sus razones para convencerlas, Las Hermanas Ferrín y Eliades Ochoa comenzaron a desarrollar un amplio proyecto musical en los Estados Unidos y España fundamentalmente.

Con el sello discográfico Yerba Buena, de Virgin Records, Eliades grabó otro disco compacto, bajo el nombre de unas de las canciones del nuevo repertorio: «Estoy como nunca». Aquí se muestra más detallista, otorga a la instrumentación especial relevancia, y conquista así una música más homogénea. Los coros están mejor logrados que en otros discos, el gusto propio de Eliades se acentúa en cada género, con la sabrosura característica de la agrupación.

El *cow-boy* santiaguero se muestra inmenso con este nuevo CD y percibimos a un artista interesado en la producción nuevamente, para no dejar pasar por alto la llama de los buenos momentos por los que atraviesa su grupo. Eliades mantiene la jocosidad en el son y la guaracha, esta última con una oralidad propia.

Es este un disco diferente a los realizados anteriormente por la agrupación, menos tradicional porque no se limita a un repertorio de trova y abarca otros géneros de la música cubana. Es más contemporáneo, pero conceptualmente no pierde su esencia. Logra un real equilibrio de temas y sus seguidores son por lo general jóvenes que disfrutan de esta selección de canciones.

Lidia Fernández mostró en un documental, junto a un equipo de trabajo muy profesional, el trabajo de mesa y preparación de la maqueta de este disco, llevando así al mundo una imagen más abarcadora del quehacer de Eliades. Ella y el artista estuvieron de acuerdo en realizar colaboraciones, por ejemplo, con la agrupación Jarabe de Palo, con el cantautor Luís Eduardo Aute y con el cantante Moncho, conocido en Cuba como *el Gitano del Bolero*. El disco «Estoy como nunca» fue nominado a los Grammy en el año 2003.

Los integrantes del grupo holandés Blof pidieron a Eliades su participación en la grabación de un disco, lo que él aceptó gustoso, con la satisfacción adicional de tratarse de músicos de Holanda, país donde se le entregó su primer Disco de Oro por las ventas del disco «Buena Vista Social Club». En este país conocían, además, el documental y el repertorio de este colectivo de artistas cubanos. Para el maestro santiaguero decir

Europa es sinónimo de familia porque desde 1995 hasta la actualidad el público en cada espacio o región visitado lo ha acogido con cariño.

Para dar por terminada la permanencia de Eliades en la discográfica española, en el año 2004 grabaron tres temas inéditos para un disco con los grandes éxitos titulado «Un guajiro sin fronteras».

En ese mismo año participó en una *serata* organizada por el Vaticano en Nápoles, como regalo a todos los niños del mundo. La empresa de conciertos Altri Ritmi de Roma organizó el traslado y el aseguramiento del artista, que junto a una orquesta sinfónica y un coro multiétnico defendería el estreno de una obra de su autoría, *Paz para el mundo*. Al evento también asistieron artistas en representación de otros países. Sobre *Paz para el mundo* comentó Eliades:

> ...es un tema religioso para meditar y reflexionar al sentir la importancia de la paz, quizás como un regalo eterno para los niños y para todo lo que signifique VIDA.

Eliades incluyó aquí una canción de su autoría, *Cambio de profesión*, registrada en un disco y vídeo, «Simplemente Fres-K», del género fusión, preferido entre los más jóvenes, en el que la interpreta con la cantante cubana conocida por la Fres-K.

En el mes de abril del 2006 se realizó en Santiago de Cuba el trabajo previo a la filmación de un documental dedicado a la llamada *World Music* y la interacción de este tipo de música en las sociedades donde nació. Santiago de Cuba fue la ciudad escogida y los protagonistas fueron artistas y trovadores. *Luchando por la vida* es el título del documental realizado por la televisión española y el ICAIC. La dirección y el guión estuvieron a cargo de Patricia Ferreira y la producción es de Manuel Veguin. En él se abordan las historias de músicos de diferentes generaciones. El anfitrión del filme es Eliades Ochoa, santiaguero de pura cepa, que había ganado ya un Grammy en 1997.

Entre los meses de noviembre de 2006 y enero de 2007, y coincidiendo con su sesenta cumpleaños, Eliades, que ya había recorrido medio mundo abanderado con su música y recibiendo aplausos de públicos gigantescos, decidió que era hora de hacer por primera vez una gira por toda Cuba, que comprendería desde la capital hasta Santiago de Cuba, ciudad donde se organizaría un concierto de cierre en pleno parque Céspedes, el corazón de esa urbe.

Se realizaron trece conciertos, en los que Eliades interpretó un repertorio variado, pensado para todos los públicos, repertorio que hizo comprometer al artista a ejecutar nuevamente algunos recitales, en la medida que sus compromisos internacionales así lo permitieran. Para la agrupación esta gira además de un reto, constituyó la revelación de una realidad: el pueblo deseaba conocer a sus artistas, porque es el consumidor nacional y el primer admirador de su propia música. Por vez primera Eliades disfrutó de un diálogo con el público cubano, haciendo realidad un anhelado sueño.

Además de cumplir con estos compromisos, desde el verano de 2007 Eliades trabajó en la preparación de lo que sería su próximo álbum musical, aunque en octubre de 2008 la discográfica World Circuit Ltd. lanzó un nuevo disco para honrar el décimo cumpleaños del famoso Grammy 1997 del «Buena Vista Social Club»; con grabaciones en vivo realizadas en el Carnegie Hall de Nueva York.

La historia musical de Eliades Ochoa Bustamante es muy amplia y no ha terminado. Es por ello que nació la idea de realizar este libro y la Galería de Colección, con lo más significativo de su obra, sita en San Germán 643 en Santiago de Cuba. Pero mientras llega el momento de grabar el disco, Eliades sigue trabajando con la empresa de conciertos Metric Productions S.L., que dirige Saúl Presa; también Eliades se presenta en su Santiago de Cuba, en La Habana y en escenarios europeos, donde su actuación siempre es reclamada. Desde su temprana infancia lleva la vida con modestia, cualidad que lo ha caracterizado siempre, y nunca olvida aquella vez cuando, aún siendo niño, se acercara a un cajón de limpiabotas donde la gente se agolpaba para ver al señor a quien limpiaban los zapatos, y el pequeño Eliades aprovechó para tocar la guitarra y ganar unos centavos. En esa ocasión, al terminar de entonar la melodía, el señor a quien todos seguían, le puso la mano en la cabeza y le dijo: «Todos los grandes comienzan así...» El limpiabotas le dijo luego al muchacho: «Eliades, ese a quien le cantaste, es *el Bárbaro del Ritmo*, el señor Benny Moré...»

Hoy, con el paso del tiempo, se ha hecho realidad tal aseveración, y cuando disfrutamos de la inconfundible voz y la guitarra-tres de Eliades Ochoa, sabemos que estamos en presencia de uno de los grandes de la música cubana, una leyenda viva de Santiago de Cuba para el Universo.

Capítulo IV
Eliades
visto por sus contemporáneos

¡**Claro que deseo expresar mis sentimientos sobre Eliades Ochoa!**, maestro sonero y trovador, portador de las más colosales tradiciones de nuestra música tradicional, poseedor de una de las voces más genuinas del son cubano, cultivador de un amplio repertorio de sones y trovas y embajador de nuestra música popular tradicional en el mundo entero, cuyas interpretaciones son degustadas en muchos países.

Todas estas cualidades enmudecen ante su sencillez y cubanía y lo convierte un hombre más grande aún. La modestia y afabilidad de su carácter hacen que lo quieras desde el primer momento en que lo conoces.

Recuerdo hace muchos años en la Casa de la Trova de Santiago de Cuba en calle San Félix, más o menos por los años setenta del pasado siglo, que él estaba tocando con el Cuarteto Patria; cuando terminó, me acerqué a él (aún yo no era un músico conocido) y le dije: «Eliades, me encanta su manera de improvisar». Le comenté también que estaba en un proyecto mezclando mi música con el son tradicional y le pregunté que si podía participar en el proyecto, y sin dudarlo, me respondió que sí, que le avisara… Ahora, treinta años después, fue que alcancé la madurez para realizar ese proyecto y cuando lo grabé, desafortunadamente él estaba fuera de Cuba y no pude contar con su presencia. No sé si él se acordará de esta historia pues yo era muy joven, pero este me parece un magnífico momento para recordarla.

Gracias, Eliades, por tu voz y por tu música.

EDESIO ALEJANDRO.
Compositor e intérprete que ha desarrollado un amplio perfil en el trabajo creativo, fundador de Banda de Mákina, exponente de la música electroacústica.
La Habana, 28 de octubre de 2010.

Eliades Ochoa desde años y siempre fue muy muy atrevido, buenísimo en la música tradicional. Cuando he llegado a lugares donde él toca de verdad veo que hace bailar a cualquiera, se inspira y «hace cantar la guitarra» porque la toca muy bien.

IBRAHIM FERRER. Músico.
La Habana, 28 de marzo de 1996.

Eliades refleja las características del estilo oriental por ser [esta región] la cuna de grandes baluartes de la buena música. Es continuador y respeta el estilo tradicional, por ejemplo, cuando interpreta mis números, lo hace tal y como yo lo siento. Mantiene la calidad desde que entró al Cuarteto Patria. Lo enriqueció con el dominio que tiene de la música, el chiste, lo jocoso, su gracia para el canto, él inspira, es repentista y sin esto la música cubana es seca. Como trovador tuve gran acople con Lorenzo Hierrezuelo, integrante del dúo Los Compadres y con Eliades Ochoa.

FRANCISCO REPILADO, *Compay Segundo*.
Compositor e Intérprete. La Habana, 30 de marzo de 1996.

Trabaja un estilo muy criollo, para mí es un virtuoso de la calidad con un ritmo propiamente campesino dado por su origen; es un guitarrista y vocalista liviano, le gustan los detalles para poder improvisar. Es muy responsable en su trabajo, y en estos momentos, demuestra gran desarrollo y afinación «que no molesta» porque ahí está su virtud, en la afinación. En el canto respeta los textos, hace transiciones y utiliza sus conocimientos para que la música no se aleje de su estilo.

RUBÉN GONZÁLEZ. Pianista.
La Habana, 27 de marzo de 1996.

Vengo a saludarte porque estoy satisfecho de haber escuchado la verdadera música cubana que traigo en la sangre, soy hijo de una cubana de Regla, allá, en La Habana.

Me alegro mucho del proyecto Buena Vista Social Club porque le dio vida a muchos viejitos olvidados. No es tu caso, Eliades, porque tú estás haciendo música por el mundo hace mucho tiempo. Con mis deseos de salud y suerte, un hijo de Ochosi.

RUBÉN BLADES. Músico.
Buenos Aires, mayo de 2001.

Contemporánea y del pasado, desde pequeños teníamos referencias de la música cubana. Por ejemplo, de los Matamoros.

Cuando escuché a Eliades él cantaba *El carretero* en la película *Buena Vista Social Club*. Pensé en este cantante, en este señor que tiene mi apellido. Luego comencé a interesarme por la música que Eliades interpreta, tan bonita, tan cubana y fui a Cuba a buscarlo, pero ni en Santiago ni en La Habana lo encontré. Yo le comenté a Chucho Valdés, el gran pianista cubano, sobre Eliades, y él me dijo que Eliades era su amigo. Entonces, lo trajo a Santiago de los Caballeros, donde vivo. Así lo conocí, también su música, que junto a su grupo pudimos disfrutar en vivo.

Eliades es como un amor a primera vista. Su música nos atrapa por siempre. Llega para quedarse.

FULGENCIO, *Yello*, OCHOA.
Empresario. República Dominicana,
Santiago de los Caballeros, 20 de noviembre de 2006.

En el año 1973 llegué a Santiago de Cuba por primera vez y fui a la Casa de la Trova porque me la recomendaron. Conocí al viejo Almenares y también a Eliades Ochoa, interpretando *Chan-Chan*. Yo toco el tres, aunque escuché a Cotán, el *Albino* en La Habana, y a otros soneros, Eliades es un guitarrista de son como no lo había visto antes.

Muchos años después, en 2002, en el Festival del Son, en Santiago de Cuba, al que no pude asistir, mandé a un músico y le comenté que Eliades estaría esa noche en el festival, que le viera y este músico le comentó a Eliades la importancia de que se creara en Santiago de Cuba una escuela de guitarrista de son, partiendo de lo que hace Eliades, porque es la manera de crecer y que ese lenguaje no se pierda porque es el concepto santiaguero, nato del oriente cubano.

Eliades es la herencia directa de aquella guitarra de son de los Matamoros, no es una calcomanía. Eliades, aunque no suena tan contemporáneo pertenece a esta época, con el sabor de los maestros de los años treinta.

PANCHO AMAT. Músico.
Santiago de los Caballeros, 18 de noviembre de 2006.

Su música ha cruzado fronteras para jóvenes y público de cualquier edad. Los niños deben conocer a Eliades Ochoa porque es muy cubano, como artista, como persona… y es de nosotros. La música que interpreta debe promoverse en las escuelas. Me gusta como trovador, como sonero y santiaguero porque nos hace sentir más santiagueros a nosotros. Su humildad y modestia como persona convierten a Eliades en un espejo para nosotros los cubanos.

ANTONIO PACHECO. Deportista.
Santiago de Cuba, 25 de noviembre de 2006.

Veo a Eliades como fiel exponente del trovador santiaguero. De voz carismática que le da sabrosura a la música cubana. Por eso el éxito en Cuba y el extranjero. Tiene un sello su música. Quien escucha de ella solo tres o cuatro acordes, sabe que es Eliades Ochoa.

Ángel García, *Antolín*. Humorista.
La Habana, 25 de noviembre de 2006.

El estilo de música guajiro en Cuba se mantiene en la actualidad gracias a Eliades Ochoa. Pero él es más que un baluarte de la tradición artística. Cuando uno escucha su música, es consciente de su calidad lírica, que parece una mezcla de estilo cubano, flamenco y mexicano hilado con su música. ¡Qué extraño es encontrar este tipo de arte en la música tradicional! Eliades fue un solista importante del Buena Vista Social Club y pasamos momentos increíbles trabajando juntos. Él es el máximo exponente de la música guajira en Cuba.

Ry Cooder. Músico.
Los Ángeles, 1999.

Eliades Ochoa y el Cuarteto Patria interpretan la mejor música que he escuchado jamás. Encuentro en la música de Eliades el mismo sentimiento y espíritu que en el blues. Eliades interpreta su música desde el corazón, expresando a través de ella la amplitud de emociones del ser humano. No se puede negar que su música es genuina y potente. Aunque no sea capaz de entender las letras de las canciones en español, el lenguaje que utiliza en su música es un lenguaje que viene del corazón, y la música de corazón no conoce las fronteras. Mi vida se ha visto enriquecida con la música de Eliades. Es un gran hombre, un magnífico amigo y un músico excelente y gracias a su música somos capaces de superar nuestras preocupaciones diarias y encontrar un vínculo en común. Como dice Eliades: «No es cosa de nacionalidades, ni de colores, ni de razas o de géneros, se trata de ser humano».

Charlie Musselwhite. Músico.
Los Ángeles, 1999.

Eliades Ochoa anda en la música popular cubana por el camino que forman las cuerdas de su guitarra y se mueve por los distintos géneros que domina, combinando su voz de sonero de cualquier parte, con la sonoridad del instrumento que le acompaña, el que parece haber sido hecho para que fuera su amigo, su cómplice. En la personalidad de Eliades, campesino a veces, de la ciudad sonera un tanto, está la fuerza de quien sabe lo que quiere musicalmente y lo hace, de quien busca constantemente y encuentra, como llenar las inquietudes y deseos de los que quieren disfrutar de sus actuaciones. Eliades Ochoa va por el mundo como uno de los que ha sido escogido para representarnos en el quehacer de llevar a los amantes de la música popular cubana, lo genuino, lo mejor.

ENRIQUE BONNE CASTILLO. Compositor y músico.
Santiago de Cuba, 2006.

Eliades Ochoa llegó por primera vez a México en 1989 donde dejó huella con su estilo particular de interpretar el son cubano.

Con su voz expresiva y sensual combinada con su talento excepcional como guitarrista, ganó el público mexicano que pudo disfrutarlo de nuevo con la producción de su primer CD bajo el sello discográfico Corazón, con el Cuarteto Patria, que se titula «A una coqueta».

EDUARDO LLERENAS. Musicólogo.
México.

Muy buen cantante e improvisador según el estilo de cada cual. Hay buenos trovadores en la historia musical de Oriente y allí sus riquezas están vivas. Eliades toma de esos grandes maestros y en él hay una cubanía musical, jocosa. La naturalidad es lo que más admiro en él porque jerarquiza todos los valores musicales que posee.

VIRGILIO VALDÉS. Músico.
La Habana, 24 de febrero de 1996.

Lo escuché sin verlo hace algunos años y me agradó mucho en los programas de Palmas y cañas. Noté que había nacido artista porque la música le viene de adentro. Tiene naturalidad, es espontáneo, creativo, respeta el estilo tradicional. Me gusta el sabor con que se toca en Oriente, cuna del son.

ORLANDO LÓPEZ VERGARA, *Cachao*. Músico.
La Habana, 30 de marzo de 1996.

En 1963 comencé a formar un conjunto agrario y Manuel Calá lo trajo a casa, le di una guitarra para probar habilidades y dije: «Este es mejor que el diablo porque toca muy bien». El diapasón lo comprobé en el primer número que tocó, *Alma de mujer*, así comenzó su trabajo en *Trinchera agraria*, primer programa de música campesina realizado en la emisora CMKC junto a Guillermo Pérez y Ruperto Pérez López.

Eliades tocaba fabulosamente la guitarra y el laúd, yo le decía: «Vas a hacer grande como guitarrista». En la actualidad la resonancia del cuarteto es fascinante. Anteriormente era muy criollo todo, pero el aspecto sonoro ahora es muy rico, moderno, el repertorio se ha ampliado con otros géneros. Hay un enriquecimiento musical, se han incorporado otros instrumentos.

RAÚL BARBARÚ. Músico.
Santiago de Cuba, octubre de 1995.

Desde hace años conozco al Cuarteto Patria como uno de los más valiosos exponentes de la trova y el son. Su director, Eliades Ochoa, supo beber en las fuentes más puras de los maestros inolvidables de la trova santiaguera y constituye una garantía de la continuidad de estos géneros en nuestro país.

En esta agrupación están vivas las más genuinas tradiciones, ecos de una rica historia musical, parte inseparable de la cultura santiaguera y cubana. Mis mejores votos por la salud de estos espléndidos músicos.

JOSÉ MARÍA VITIER. Pianista y compositor.
Santiago de Cuba, 7 de enero de 1998.

En el entorno de la música popular cubana y, en particular, en el intrincado monte del folklor urbano santiaguero, siempre he considerado como a una de nuestras grandes figuras al guajiro Eliades Ochoa, no solo por su explícita sabiduría musical, y el exquisito sonido de su guitarra, sino también por su cubana y su concluyente profesionalismo. El hecho de que la vida me haya permitido trabajar junto a él ocasionalmente, lo considero como un privilegio. Dios quiera que Santiago y Cuba nos deparen para el siglo próximo gente tan simple como tan excelente en todos los sentidos.

JUAN DE MARCOS GONZÁLEZ. Músico.
Estudios EGREM de La Habana, 12 de marzo de 1998.

Eliades Ochoa es un músico integral, como guitarrista es un virtuoso. Desde hace más de veinte años lo conozco y le grabé varios temas para dúo de guitarras en las que demostró sus dotes. Registra todas las posibilidades del instrumento con gran maestría, toma de la tradición elementos importantes del ritmo, él usa los bajos del instrumento y acopla perfectamente en conjunto y como solista. El dúo que realizó con Roberto Rosell fue tan excelente que le recomiendo continúe manteniendo esta línea tradicional con su rica expresión guitarrística.

Cantando recoge también la tradicional expresión del trovador santiaguero. Se le oyen en las notas agudas de su voz referencias a la forma de cantar de Miguel Matamoros, que ha sido guía y maestro de todos los cubanos. Estos son signos esenciales de nuestra tradición en el músico integral que dije antes.

MARÍA TERESA LINARES. Investigadora musical,
EGREM, marzo de 1998.

Por razones de trabajo y por mi condición de fundador de los Festivales Nacionales de la Trova Pepe Sánchez que se celebran desde 1964 en Santiago de Cuba, conozco desde esa fecha al cantante y guitarrista Eliades Ochoa, considerado unánimemente por todos los que tenemos conocimientos musicales como uno de los mejores intérpretes de la música popular cubana, destacándose principalmente como cantante y guitarrista en sones, boleros, boleros-sones, guarachas, montunos y otros géneros de la música cubana. Asimismo, hemos notado que desde su fundación en 1939, el Cuarteto Patria, ha tenido una evolución positiva a partir del momento en que Eliades Ochoa se integró a esa agrupación musical, primero como guitarrista y cantante y luego como director, influyendo notablemente en su repertorio, que ha ido ampliando y proporciona a este grupo una sonoridad nueva cuidando de que las expresiones folklóricas cubanas se mantengan con toda pureza. Eliades Ochoa y la agrupación que dirige constituyen una de las máximas exposiciones sonoras de la música cubana en sus distintos géneros, por su calidad, pureza y repertorio, que la distinguen de los demás grupos musicales, ya que todos sus integrantes son verdaderos maestros de la interpretación musical caribeña, santiaguera y cubana.

LINO BETANCOURT MOLINA. Periodista y musicólogo.
La Habana, 9 de enero de 1998.

Era aquel famoso año 1970 y pasaba yo un día por el parque Céspedes, cuando vi un grupo de personas aglomeradas alrededor de un banco y sentí sonar una guitarra como nunca antes había oído. Me acerqué y pude ver a un hombre joven que, con la camisa medio abierta y una guitarra que alguna vez fue nueva, sacaba aquellos acordes de maravilla. Uno de sus compañeros le servía tragos y él, después de vaciarlos, tocaba con el vaso en el diapasón para euforia del grupo que lo aplaudía. Pasó una señora (recuerdo que muy maquillada) y dijo: «Ese es "el cubanito". Desde chiquitico es tremendo guitarrista. ¡Si lo conoceré bien!»

Un tiempo después comenzaba yo a componer canciones y a cantarlas como podía, por lo que me hice asiduo a la Casa de la Trova. Fue allí que descubrí a aquel guitarrista y supe que se llamaba Eliades Ochoa y que era uno de los integrantes del Cuarteto Patria, el más joven, por cierto, en aquellos momentos.

El tiempo siguió pasando y aquel grupo, como todos, hizo cambios de músicos pero, con su talento natural y su perseverancia de maestro, Eliades seguía ahí ampliando el repertorio y encontrando siempre los timbres adecuados. Así, poco a poco, el Patria se convirtió en el más disciplinado y el más «afilado» de los grupos de la trova santiaguera y comenzaron a ser muy solicitados en las más importantes actividades de la ciudad y en el extranjero.

Hoy por hoy, y a mi modo de ver, Eliades Ochoa y su grupo siguen siendo lo mejor de la música tradicional en Santiago. Nadie ha merecido tanto el haber representado a Cuba en diversos escenarios. Si no, que hable el lleno total, el silencio más respetuoso y el aplauso eufórico que se producen en la Casa de la Trova de Santiago de Cuba cada vez que estos formidables músicos suenan un *Chan-Chan*, una *Emiliana* o un *Son de la loma*.

René Urquijo. Compositor y trovador santiaguero.
Santiago de Cuba, 2000.

Fui amigo de Ibrahim Ferrer, lo conocí al igual que a Eliades por el disco «Buena Vista Social Club». Lo que hace Eliades me gusta, convence por la destreza con que toca la guitarra; es interesante el trabajo de él con los músicos africanos de Toumani Diabaté.

Damon Albarn Soundchck. Músico,
Expo de Zaragoza, 2008.

No es tarea fácil la de emitir un criterio serio y valioso sobre una figura del arte que, no obstante su origen humilde y campesino, se ha elevado a una esfera de calidad apreciada y reconocida en gran parte del mundo. Creo con sinceridad que Eliades Ochoa nació para esa música que identifica a Cuba y que a ella se entrega denotando un estilo muy personal. Pero, además, a pesar de los grandes méritos que le sitúan entre los grandes de lo popular cubano, jamás ha dejado de ser el hombre sencillo, afable y gran compañero. Lo admiro sinceramente porque estoy seguro de que Eliades Ochoa nació para la eternidad.

EDUARDO ROSILLO HEREDIA.
Locutor y maestro de la radio cubana.

Como oriental y guantanamero siento el son como un género musical, que expresa el sentir, la idiosincrasia nuestra se diferencia de varias formas, encierra lo humano, la convivencia, la lealtad, además de ser cubano, criollo por ejemplo cuando es cantado por el maestro Eliades Ochoa, el son tiene un estilo definido.

El son no morirá sino lo dejamos morir nunca, este género es fuerte porque ha vencido todo intento de penetración de otras culturas.

Cuando escuché tu composición *A la luna yo me voy* puedo comentar que me gustó, la luna es un astro del planeta que ha tenido mucho interés para investigadores espaciales, además ha creado fantasías plasmadas en libros, canciones, por ejemplo, *Los aretes que le faltan a la luna* y muchas [otras]. La luna es una excelente dama; trasmite paz, sosiego, tranquilidad por no estar dañada por el hombre.

Este planeta (sic) se ha convertido en inspiración y aspiración para muchos aunque pocos han podido visitarla, entonces, Eliades, puedes continuar con tú propósito de marchar de vacaciones a la luna, yo me iría también para que veas lo bonita que se observa nuestra Isla desde esa altura.

ARNALDO TAMAYO MÉNDEZ. general de brigada.
Treinta años después de convertirse
en el primer latinoamericano en viajar al Cosmos.
La Habana, 18 de septiembre de 2010.

Lo conocí en las descargas habituales de la Casa de la Trova de Santiago de Cuba, cuando tenía dieciséis años.

A Eliades lo recuerdo porque toca la guitarra limpia y me daba tiempo de coger algunos acordes, disfrutaba de este momento porque el maestro ejecuta su instrumento con serenidad y responsabilidad es poseedor de un estilo personal por la forma de rallar la guitarra e interpretar las canciones aunque a veces nos sorprende con algunas influencias musicales del blues o country.

Ahora que voy por Oriente y voy a buscar casabe
Subiré la loma de Padre Pico me encontraré al Siboney
Y la guitarra de Eliades.
Ese tiene su bate y su música por los dialécticos,
Sus cosas de santiaguero
Un trovador tan auténtico
Que lleva el sombrero negro
Con su Cuarteto avisa
Que hay mucho por trabajar
Ritmo y tradición
Siempre le han acompañado
Esto puede ser una canción
Para homenajearte, maestro Eliades.

WILLIAM VIVANCO. Músico.
8 de septiembre de 2010.

¿Cuántas veces los cubanos y amigos que visitan el archipiélago hemos escuchado sones, guajiras, guarachas y demás géneros tradicionales cubanos, interpretados con pericia, pero no siempre con pasión, cual si fuese una producción en serie?

Los que conocemos nuestra música, nos damos cuenta de que asistimos en ocasiones a la mimética copia, de la copia, de la copia (y así, hasta el infinito) de las creaciones e interpretaciones originarias y originales.

Aunque con esto de la globalización, ya no dudo nada, creo humildemente que aunque no imposible, es bien difícil que surja un auténtico Rockstar en Mayarí, un gran sonero en Liverpool y ni hablar de un bachatero en Fukuoka.

Pero si algo de volcánico y electrizante se siente al apreciar las actuaciones de las bandas clásicas de rock, algo de huracanado y contagioso se desata en el aire cuando los que «nacieron pa´ eso» rompen a exponer el alma de nuestra cultura sincopada y cadenciosa.

Es por eso que para mí Eliades Ochoa es un monstruo. Frente a él, el concepto de autenticidad se concreta.

Toda una vida entregado a cantar y ejecutar la guitarra, lo llevaron a manejar su voz de forma que todo lo que cante, suene a cubano. Su instrumento ya no es lo que se diría una guitarra propiamente dicha, sino que por necesidades expresivas, le hizo las modificaciones necesarias y cuando toca: es Eliades y no otro. Su proyección escénica, sobria pero elegante y un carisma que cuando pisa el escenario, se sienten cien quintales de respeto. He estado en presentaciones de Eliades fuera de Cuba. Y he salido con el orgullo por las nubes.

Pero si tanta consagración no fuera suficiente, tanto talento labrado y cultivado a fuerza de empirismo y sabiduría popular, tanta maestría artística como intérprete, pues ahora Eliades amenaza con regalar nuevos asombros con composiciones que han llegado cuando tenían que llegar. Como quien saboreara cantando las creaciones de los más importantes compositores cubanos para ir degustando y clasificando sabores, Eliades fue añejando motivos, melodías y armonías que se traducen en canciones que al menos a mí, me dejan impresionado por su lirismo, picardía y belleza.

Si algo aprendo del maestro, a mí, que me muevo por otras corrientes creativas, si algo me enseña, es su ética ante la vida y ante el arte. Es bueno decir que antes del Buena Vista Social Club ya Eliades era Eliades con el Cuarteto Patria. Sin bulla, sin altanería, sin grandilocuencia, sin barato provincianismo, ni pomposos (sic). Con una inteligencia natural que se aprende en la universidad de la pobreza y de la canción por un «medio». Siempre el mismo, dentro y fuera del escenario. Todo cuanto ha logrado Eliades, por dentro y por fuera se lo merece… y merece más.

Cada vez que hablo con Eliades algo aprendo, pero sobre todo, siento la entrañable certeza que hablamos de compay a compay.

ISRAEL ROJAS FIE.
Músico de la agrupación Buena Fe,
24 de septiembre de 2010.

Indudablemente, decir del maestro Eliades Ochoa es prioridad indiscutible de la música cubana de estos tiempos.

Difícil resulta encasillar a un músico como él, ¿dónde colocamos su hacer?, ¿entre los soneros?, ¿entre los cultores de la música campesina?, ¿entre los trovadores de siempre? Más justo es decir que nuestro artista es uno de los grandes hacedores de ese sonido cubanísimo que gracias a Dios tenemos aún.

Fiel a sus raíces sin remedio, Eliades no quiere ni querrá dejar de ser quien es, sabe que lo necesitamos así, sin Él, la suerte de nuestra musical campiña y de la trova y del sonero de manigua sería totalmente otra hoy.

Hágase la fiesta una vez más debajo de un framboyán envueltos en el aroma del aguardiente y del lechón, que Eliades estará con nosotros como también seguirá siendo su guitarra el tercer elemento entre dos que se quieran decir y dar amor.

El sonido del palmar, el trillo custodiado por piñones, el saludo gratuito del buen guajiro, el arrollo con jicoteas, el café colao en empinao y el beso de mi guajira son la música franca transparente y querida del hijo de las montañas de Cuba, Eliades Ochoa.

Gracias, maestro.

RICARDO LEYVA CABALLERO.
Compositor y músico, 20 de octubre de 2010.

Desde los trece años tenía conciencia del valor de la música cubana. Soy santiaguero, pero radico en La Habana desde pequeño. Como deportista, en competencias dentro de mi país y por el extranjero, seguía admirando la música de nuestros antepasados con la cual me identifico como caribeño y cubano. Admiro a Eliades, su trabajo, su lucha por mantener el son cubano. Él es la tradición, la modernidad, con la rebeldía que siempre lo ha caracterizado.

Tenemos que trabajar para que no mueran nuestras raíces.

JUAN MORALES HECHAVARRÍA.
Atleta de alto rendimiento, 8 de septiembre de 2010.

Interludio…
con poesía para Eliades Ochoa

Tres tiempos para descubrirlo

I

En todos los principios, el hombre inaugura las canciones. Las notas y el pentagrama vinieron después; implican el resultado, la consecuencia erigiéndose en materia y escuela. Algo trajo desde entonces el único animal con privilegio para el habla. Por eso extiende su lengua y la armoniza a través del canto. Así, mero hecho hubiera bastado para darle superioridad en la escala biológica. El hombre vence en la ley de la jungla. Es el elegido en la selección natural.

II

Sé de un hermano que expresa las esencias musicales originarias de lo cubano. Amante incansable de su guitarra, no explora la psicología de esta. La posee… y ya. Su acto se convierte en acto sexual sublimado. Y ella, como toda hembra orgullosa de su especie, al quedar satisfecha, le es fiel. Siempre está presta al reclamo del bravo.

III

Como el son despertando los ruidos de la Isla, como el bolero en diálogo íntimo y público, como la guaracha riente (sic) sobre el diablo, como la guajira en un sonido para engendrar el árbol, como las explosiones del mar en nuestras playas; así escucho y contemplo la presencia de este músico e intérprete. Él es el mito tornado en carne y espejo.

¿Debo decir que se trata de Eliades Ochoa Bustamante?

MARINO WILSON JAY.
Poeta y ensayista cubano. Crítico de arte,
4 de octubre de 1995.

«Complaciendo a la señora Grisel, 15 de enero de 2007.

»Con todo afecto hacia Eliades Ochoa y esposa. Deseo para los dos un año con mucha salud y muchos éxitos».

Estimado buen Señor
Eliades lo felicito,
Por haber sido exquisito
Al escoger el amor:
Grisel, esa bella flor
Que es muy noble, virtuosa
Abnegada, cariñosa
Tiene un corazón de oro.
¿Quiere usted mayor tesoro
Que tenerla por esposa?

De cuna humilde nacido,
El eco de sus canciones
Penetra en muchas naciones
Por ser ritmo preferido
Su nombre es reconocido
Entre todas las edades
Tiene muchas amistades
Que admiran con simpatía
El genio y la poesía
Del compositor Eliades.

Su consigna es un sombrero
Inédito, inconfundible,
Que lo hace reconocible
En Cuba o en el mundo entero.
En su exitoso sendero,
Ese atuendo es siempre igual.
Por esa forma habitual
De vestirse diariamente,
Pueden llamarlo en su ambiente,
Un guajiro natural.

Admira el pueblo cubano
Su música, su actuación,
Yo admiro su condición
De hombre servicial y humano.
Dispuesto a tender su mano
Se observa en todo momento:
Un loable sentimiento
De ayudar al desvalido,
Por eso siempre ha podido
Vivir feliz y contento.

MANOLO VALDÉS

¡Cuánto la cultura gana!
Eliades Ochoa genial
Embajador musical
De nuestra trova cubana.

En tradición meridiana
Aquí en la tierra del son
Lo saluda la nación
Y hace a la Patria dichosa
En esta gira exitosa
Con feliz culminación.

Bella historia personal
De Songo increíble mito
Como humilde cubanito
Goza de fama mundial.

Desde su tierra natal
Lleva el son al mundo entero
Su emblemático sombrero
Guitarra y voz dicen cómo
Le puso la tapa al pomo
Este gran trovasonero.

Del campo cedro y caoba
Fueron sus progenitores
Familia de trovadores
De Aristónico y Jacoba.

Arpegios de la algarroba
De Ochoa Bustamante manos
Llevan la alegría a planos
Que es justo reconocer
Dando musical placer
Sus relevantes hermanos.

Trovadorescos tesoros
De grandes maestros hay
Pepe Sánchez y Garay
Y Corona y Matamoros.

Son los caudales sonoros
De magistrales destellos
Tienen históricos sellos
Que en distintos grupos vamos
Todo lo bueno que hacemos
—dice Eliades— viene de ellos.
Fue necesario que el mundo
Nuestra trova conociera

Y que Europa, bien supiera
Quién era Compay Segundo.
Nuestro cantar es profundo
Del pueblo en su sentimiento
Fidel es constante aliento
Que se haga el arte masivo
¡A Eliades y al colectivo!
¡Inmenso agradecimiento!

Gira artística nacional de Eliades Ochoa.
EVELIO TAMAYO TAMAYO. Médico.
Santiago de Cuba, enero de 2007.

África y Cuba tocan de la mano

El estreno mundial de AfroCubism, con Eliades Ochoa y músicos malienses, rescata en La Mar de Músicas la idea original del mítico Buena Vista Social Club.

Un estreno mundial: AfroCubism, el ambicioso proyecto que reúne a músicos de Cuba y Malí. Más de dos mil personas pudieron presenciar el viernes por la noche en La Mar de Músicas la puesta de largo del Buena Vista Social Club original. Porque BVSC fue un accidente, hermoso y afortunado, pero un accidente.

NICK GOLD: *Es aún mejor de lo que había imaginado. Me parece radical.*

Nada más fácil que oír a un africano cantar El carretero *en idioma wolof.*

El objetivo del guitarrista Ry Cooder y el productor Nick Gold, en 1996 en La Habana, era traer de Bamako a unos músicos malienses para grabar con cubanos. Un problema de visados dejó en tierra a Bassekou Kouyaté y a Djelimady Tounkara, y el obligado cambio de planes se convirtió en un disco maravilloso que abrió al son cubano las puertas del mundo. Aquel encuentro entre caribeños y africanos no se pudo hacer, pero la idea quedó en el aire. Y, ahora, catorce años después, llegó por fin AfroCubism.

Son tres fenómenos. Nadie hoy representa mejor la tradición del son cubano que Eliades Ochoa, nadie toca el n'goni (ancestro del banjo) como Bassekou Kouyaté y no hay kora (arpa-laúd)[3] más asombrosa que la que acaricia Toumani Diabaté. Pero en AfroCubism también están un colosal Lassana Diabaté percutiendo con maestría el balafón (un tipo de xilófono) y un grandote Djelimady Tounkara con su solvente guitarra.

Empezó el concierto con *Al vaivén de mi carreta*, una vieja guajira de Ñico Saquito. «Trabajo de enero a enero / y de sol a sol, y qué poquito dinero me pagan por mi sudor», cantaba Eliades Ochoa, luciendo uno de esos sombreros negros con el que le fotografió Anton Corbijn Kasse Mady Diabaté retomó la canción con su voz de ángel heredada de un abuelo que provocaba lágrimas de felicidad al cantar. «Y que luego vengan Vampire Weekend a hacer lo que hacen», comentó con ironía un habitual del festival.

Espectacular estuvo Lassana Diabaté al balafón con los trece músicos rumbeando y el remache final de las trompetas antes de *La culebra*, en la que Eliades evoca al Benny Moré con los malienses aportando un suave perfume africano a la grabación original del Bárbaro del Ritmo. Toumani, Bassekou y Eliades se quedaron solos para una sutil *Guantanamera*, que a más de uno se le escapó por culpa del bullicio festivo y de la energía contagiosa del son Para los pinares se va Montoro, guiño a Compay Segundo, que al igual que los añorados Ibrahim Ferrer, Pío Leyva o Rubén González siguen muy vivos en nuestra memoria.

Nick Gold cree que la cosa funciona: «Es mejor de lo que había imaginado o soñado. Hay más repertorio maliense que en la idea original, que consistía en dar otro aroma a la

[3] Instrumento de veintiuna cuerdas, mezcla de arpa y laúd, muy extendido entre los pobladores de África occidental. *(N. del E.)*

música tradicional cubana. Esta colaboración me parece más radical y sustanciosa». Confiesa que la primera vez que escuchó música de Cuba fue tocada por africanos. Y le gustó cómo lo hacían, de una forma más suave, ligera, que él prefiere incluso a la de los propios cubanos. «Me preguntan si yo quería unir dos culturas, pero no se trata de eso», dice riendo. «Me maravilla cómo suenan juntas las guitarras, la kora, las maracas, el balafón... Como un auténtico grupo».

De las costas de África partieron hacia América millones de hombres, mujeres y niños, hacinados como animales, para un viaje sin retorno. Pero, a partir de 1950, su música regresó. Los sonidos cubanos fueron retomados por orquestas como la Star Band o la Baobab. Y se han producido anteriormente aproximaciones como *Africando*, serie en la que el productor Ibrahima Sylla juntó músicos latinos con cantantes senegaleses, o como «CubÁfrica», el disco que Eliades Ochoa grabó con el saxofonista camerunés Manu Dibango. Nada más fácil que oír a un africano cantar *El carretero* con una imitación en idioma wolof del sonido del español. «Pero esta mezcla que estamos haciendo nosotros no se ha visto antes», afirma Eliades Ochoa.

El estreno de AfroCubism, retransmitido por Radio 3, trajo hasta Cartagena a periodistas de la BBC, de *The Guardian,* de *Liberation*, y de revistas especializadas como *Songlines* o *Les Inrockuptibles*. Durante los ensayos del concierto, uno de los malienses hablaba en bambara y un cubano en español. Y se entendían: estaba hablando la música.

Por el Nuevo Teatro Circo, alquilado de lunes a viernes para ensayar, correteaba Ami, la hija mulata de cuatro años de la fotógrafa del sello World Circuit Ltd. Mientras, bajo la mirada de Nick Gold, Eliades, Toumani y Bassekou cerraban una improvisación sobre *Guantanamera* como si llevaran tocando juntos media vida. «Cuando todo el mundo está atento y pone el mismo deseo de hacer las cosas bien hechas, las cosas salen bien. Lo malo es que a veces nos desenchufamos y ahí es donde se equivoca alguien o no para a tiempo», dice

Eliades. «No es fácil injertarnos en la forma de ellos y que ellos se metan en nuestra música. Son los pequeños problemas que hacen grande a un amor», comenta. Y en eso andan desde la primera sesión de grabación del disco en un estudio de Coslada en Madrid.

Hoy están ya todos en Holanda, para actuar en el North Sea Jazz Festival, y el 2 de noviembre comenzará la gira que les va a llevar —con dos citas en España: el 11 de noviembre en Madrid y el 18 en Barcelona— desde Oslo hasta Nueva York. Ninguno de los protagonistas de BVSC se imaginó lo que iba a pasar con aquel disco. Tampoco ahora, y menos aún con los tiempos que corren para la industria discográfica, se atreve nadie a augurar el futuro de AfroCubism. La clave del éxito quizá sea que ellos se lo pasen mejor sobre el escenario que el propio público.

CARLOS GALILEA, Cartagena,
11 de julio de 2010.

Y así las cosas, la actual gira de Eliades en los finales de 2010…

Eliades Ochoa presentará su «AfroCubism» en los Estados Unidos

El guitarrista y cantante cubano Eliades Ochoa regresa a Nueva York tras más de diez años de ausencia de la mano de su nuevo disco, «AfroCubism», y acompañado por los músicos de Africa que participaron de la grabación.

«Vamos con la alegría de algo nuevo y esperando que al público le guste esta mezcla de músicos africanos y cubanos, que creo está muy bien», señaló a EFE el también compositor al referirse al álbum que hizo junto a su Cuarteto Patria y músicos de Mali.

Ochoa no olvida la gran acogida que le dieron los neoyorquinos al grupo Buena Vista Social Club con el que se presentó hace más de una década, lo que desea se repita durante la gira promocional de «AfroCubism», al que se refiere como «música del mundo».

«Espero sentir la misma emoción y tal vez, más fuerte porque la gente está viendo un trabajo que se ha hecho con muchos deseos. Antes, en Buena Vista Social Club todos los músicos nos conocíamos porque éramos cubanos, todo el mundo sabía lo que iba a hacer todo el mundo», señaló en entrevista telefónica desde España.

«Pero, aquí hay una mezcla de los africanos y los cubanos y hemos tenido que luchar fuerte (musicalmente) para que la cosa salga bien y poder ofrecer al público lo mejor porque queremos llevarnos como premio su agradecimiento y reconocimiento», afirmó.

El compositor y virtuoso de la kora, Tounami Diabate, dijo, durante la presentación del disco en España, que para grabar este trabajo no necesitaron de intérpretes para entenderse porque la música es un lenguaje universal.

Ochoa aseguró que fue difícil para ambas partes porque son distintos ritmos y forma de hacer la música, pero, «el idioma que teníamos entre todos era la música».

«Tounami empezaba a tocar, yo lo oía y sacaba en mi guitarra (la música) que él tocaba. Nosotros no somos músicos de pentagrama. Elíades Ochoa no es músico de pentagrama, así que no podíamos hacerlo y algunos de ellos (africanos) tal vez sabrán, pero no todos, así que teníamos que tocar de oído, y eso no es fácil», recordó.

Pero aseguró que «… ellos han dado todo por mezclarse con la música cubana y nosotros por mezclarnos con la africana. Todos han puesto su granito de arena para que la cosa salga bien».

Ochoa agregó que añora reencontrarse con el público neoyorquino la próxima semana y mostrarles lo que han hecho.

«AfroCubism», disco que se estrenó el pasado 9 de julio en Cartagena.

RUTH E. HERNÁNDEZ, EFE.
New York.

Eliades Ochoa, de la luna para el mundo

No sé si la razón con que voy a comenzar este elogio a Eliades Ochoa sea suficientemente técnica o convincente, pero, en todo caso, es rabiosamente sincera: la mayor evidencia acerca del talento del músico, como gran exponente de la tradición sonera y trovadoresca cubana, tiene lugar, cuando, ante la violencia sensual de sus temas, uno tiene que ponerse a bailar. Salir a bailar, acompañado, como parte de una fiesta o concierto; o, más sencillo, en su propia casa. Uno lo deja todo, y algo se desordena, amor, se desordena. Es la cadencia como máximo valor de eso que todos sus críticos llaman «la sabrosura».

Después del contagio, irresistible, hay que señalar que una de las cartas de triunfo de Eliades ha estado en el equilibrio perfecto entre la preservación de una tradición, más que musical, cultural, un carácter patrimonial, y los aires de actualidad con que el sonero y guarachero reformula y aproxima tal legado. Eso hace único a Ochoa. Cuando se escucha la combinación ingeniosa de géneros procedentes de múltiples coordenadas, es fácil percatarse de que no hubo que esperar la lunática irrupción de Cucu Diamantes para tener en la cultura cubana una frondosa imaginación cultural, sin casillas ni estatismos. Tampoco hay que remitir los presupuestos de la fusión, exclusivamente, a mezclas provenientes de variaciones al interior de la cultura hip-hop. No.

Escúchese detenidamente a Eliades Ochoa, y se comprobará que si, de un lado, los géneros y formatos de la música tradicional cubana entran a un museo de culto, de otro, se produce un montaje cultural impresionante. Es claro que lo de Eliades, en primer término, es el son. Puede desgranar, inspiradísimo, boleros y boleros-son, pero creo entender que lo suyo, más que el melodismo, es el ritmo, la gracia percutida que arranca a un extraño, personal y virtuoso cruce entre la guitarra-tres (en general, a la guitarra, ha incorporado innovaciones técnicas, incluso de estructura, pero más que todo, una inaudita sonoridad que constituye todo un género ella misma: el fraseo Eliades Ochoa, apenas con un émulo en la cultura cubana de las últimas décadas: Pancho Amat) y el sonido jacarandoso de la trompeta. El cruce de vientos-metales y cuerdas genera una atmósfera sonora donde la trompeta hace las veces de una suerte de comentario humorístico, paródico, casi sarcástico, orgánicamente sumado a la picaresca de la letra de los temas, del tipo cuidado Eliades, que las mujeres te tienen la trampa tendida: van a acabar con tu vida. Ese tipo de construcción, de una gracia profundamente acendrada en la mejor tradición de la cultura cubana, se auxilia del sonido burlón de la trompeta. Luego, se adiciona la huella del repentismo, en la capacidad de improvisación, de encabalgar sentidos, y en la facultad polémica, de réplica, manifiesta en los temas, con todo y que estos mantengan un candor elegante y comedido todo el tiempo.

La variable perspectiva cultural, siempre enfundada en el viaje cultural de su entrañable Santiago de Cuba, hace que en ocasiones células de la tumba francesa y el reggae surquen un tejido musical por naturaleza intergenérico. El clamor de la trova, la sensualidad del son, a ratos el devaneo de la rumba, cohabitan su imaginario como componentes de un mosaico que vive de incluir; no de desdeñar. Incluso, en algunos casos, los timbres y ritmos de procedencia básicamente rural (la guajira, el sucu-sucu) admiten y agradecen aires de géneros mayormente urbanos, como el merengue, y el resultado no puede ser más tentador: hay que coger a la compañera, o a la escoba, y comenzar a menearse. No queda de otra. Con su inventiva y su fantasía intercultural, ha llegado a proponer tipologías tan sincréticas y simpáticas como «el changüí de carretera».

Los arreglos son maravillosos; extraen colores y texturas nuevas a temas clásicos en el imaginario popular. Sus versiones sobre *La Macorina*, o *El panquelero*, resultan extraordinarias, personales y ajustadas al tempo de la exposición original. Pero si existe un arreglo de Eliades Ochoa que confirma el vuelo y el alcance de su visión intercultural es aquel que se ocupa de la ranchera *El rey* y la convierte en un sabroso son cubano. Yo no puedo escamotear, ni quiero, que me muero de la risa cada vez que escucho la perversidad cultural con que Eliades interviene la tragedia límite de la historia de la ranchera (la prepotencia machista que delata una carencia, desde luego) y forma lo suyo, cuando pone a bailar a todo el mundo con aquello de «...con dinero o sin dinero, yo sigo siendo el rey...» Eso es locura, mima, tremenda expresividad. Salero y gracia. Eliades rebaja el aura de fatalismo, lo parodia, y lo simpático está de pronto en que la gente se descubre dándole a la cintura con la desgracia altanera del rey de capa caída. Lo más atrevido es que, en medio del montuno, Eliades le atraviesa, al sesgo de la ranchera, reconocibles citas de grandes sones cubanos, y la sandunga de la empresa se vuelve entonces alucinante. Esto sí es intertextualidad, y lo demás, bobería. El principio intercultural —que troca, a gusto, el tango en bolero, otro ejemplo, y preserva lo preservable de los moldes: el sentimiento, la saudade; como se dice ahora: «la vibra»— me hace esperar un próximo dúo entre Eliades y Cucu Diamantes, pues, para ellos, no existen fronteras en la fabulación y la mentalidad musical.

Eliades clasifica, perfectamente, sin mucho apuro, en la pléyade de grandes músicos populares cubanos, donde figuran Miguel Matamoros, Sindo Garay, Ñico Saquito, Benny Moré, Tito Gómez, Roberto Faz, Pacho Alonso, Barbarito Diez. A propósito de este último, quisiera acotar algo que me parece determinante en el éxito de Eliades: su estricto sentido del gusto, de la medida, del rigor cultural. Primero, destaca la ética de Ochoa: en tiempos de una intensa megalomanía, donde los regodeos del cantante desean robarse el show de cabo a rabo, llama la atención lo estrictamente respetuoso que se muestra Eliades con el protagonismo de la instrumentación, tanto cuando toca con el formato del cuarteto, o del conjunto, como cuando, ya francamente, participa incluso de una orquesta. Se siente el respeto con que Eliades agradece la colaboración de cada músico, a los cuales permite hermosos solos (ya no únicamente los suyos mismos, con la guitarra), a partir de la improvisación con el fraseo de los instrumentos. Se siente una música conjunta, con el liderazgo de Ochoa, pero la colaboración entusiasta de todos, y no esos egodiscursos que parecen pura a capella bajo el pretexto del acompañamiento. No es que los músicos de Eliades «acompañen», sino que participan, con el mismo donaire y la contribución del propio patriarca Ochoa.

Esa democracia del sonido da fe del gusto y el cuidado que pone Eliades en la concepción de su empresa musical. Pero luego, no hay un solo exceso en sus letras, en su improvisación, ni siquiera en sus actuaciones en vivo: Eliades tiene el riguroso sentido de la medida que ha hecho grandes a los grandes. Ello determina que su música sea arte, sea cultura genuina, y no coyuntura que bate el viento del modismo. Entre cubanos, sobre todo entre los cubanos actuales, a la menor provocación se forma un sal pa'fuera impresionante, sin que la marginalidad y la temeridad contengan siempre sólidos valores culturales. No todo el mundo es el Insurrecto, quien consigue extraer belleza de la violencia simbólica en que perviven las relaciones interpersonales del cubano de ahora mismo. En el caso de Eliades, hay un espartano sentido del límite, que se bordea pero no se franquea jamás; de forma que la gracia es gracia y no lascivia, el erotismo es sensualidad y no porno urbano, el salero es insinuación elegante y no obscenidad camuflada. En esto, el Maestrazo pasea una sabiduría y una clase que, venidas de la gran prosapia de la mayor música cubana, constituyen una lección de ética y de profesionalidad que muchos guapos de solapa deberían consultar y aprender. Consciente de que el pentagrama no es un corral para peleas de gallos, Eliades llega a ratificar que se puede gozar sin olvidar elementales virtudes cívicas, ciudadanas. He aquí la mejor continuidad de la música cubana.

No es rara la carrera internacional de Eliades Ochoa, si tenemos en cuenta que, en momentos de globalización, su trabajo entronca a la perfección con las estrategias artísticas más agudas a la hora de interceptar el proyecto de la mundialización: entrar y salir, a conveniencia, de los aires de aldea global, sin tener que renunciar a la identidad local, pero tampoco haciendo de ella una provincia retenida en el tiempo. La dinámica entre tradición y actualidad que caracteriza la labor musical de Eliades le permite abrirse al mundo, sin vandalismos o claudicaciones en favor de la corriente principal, como tampoco, sin retraimientos excluyentes, sin resabios anquilosados o arqueologías de referencista municipal. Su movimiento intercultural, la subjetividad inclusiva de su poética, propone el tono justo para tiempos en que la cultura no puede mirar al ombligo ni tiene por qué claudicar en relación con un recorrido temporal del más alto linaje. Solo grandes maestros, y jóvenes muy talentosos, encuentran el punto medio, el tono justo. De ahí el éxito de Ochoa como uno de los cabecillas musicales del proyecto Buena Vista Social Club, o ahora mismo, octubre de 2010, como una de las fuentes inspiradoras de AfroCubism, interesante programa cultural, bastante más que una estrategia de marketing, cuando estelares músicos de Mali y el gran Eliades convergen en un tronco ancestralmente común, para fascinar al mundo con la cultura que, como deseaba Martí, parte de la cuarta de tierra para empinarse hacia el mundo.

En alguno de sus temas, dice Eliades que tiene sus razones para irse a vivir a la luna. Que hacia allá llevará la alegría santiaguera, y volverá a la Tierra solo cuando esté de vacaciones. Ciertamente, es esta una música, lo cito, que canta a la vida desde la vida. Una proposición cultural que prefiere celebrar la alegría de vivir, aunque inserte en ocasiones pequeñas dosis de dolor y de desconcierto, como propias son del aliento trovadoresco o el bolero de victrola. Desde la luna, Eliades le canta al mundo hace años, sin tener que abandonar no quiere; no puede su puesto de mando, que sigue estando —dónde más— en la bellísima, empinada, heroica y musical ciudad de Santiago de Cuba. Eliades ha encontrado el modo de disfrutar el sol que se cuela por la calle Enramada, y de ahí, ir a sentarse en la luna. Sus razones tiene. Nosotros, los mortales, los vagos y vanos mortales, aquí abajo, deslumbrados como ante la imagen del conejo que atravesó la luna, lo seguimos aplaudiendo. Admirados. Agradecidos.

RUFO CABALLERO.
Ensayista, doctor en Ciencias Filológicas.

Discografía

Entre los discos representativos del autor se han comercializado:

«Son de Oriente». «María Cristina me quiere gobernar». «Chanchaneando con Compay Segundo». «A una coqueta». «Se soltó un león». ¡Ay, mamá, qué bueno!» «Eliades Ochoa y el Cuarteto Patria». «Cuidadito, Compay gallo, que llegó el perico». «La parranda del terror», «Al son con el grupo Patria», «CubÁfrica», Eliades Ochoa con el grupo Patria y Manu Dibango. «Grandes éxitos de Eliades Ochoa». «Continental Drifter», Eliades Ochoa y Charlie Musselwhite. «Buena Vista Social Club». «Sublime ilusión». «Tributo al Cuarteto Patria». «Estoy como nunca». «Un guajiro sin fronteras» «Las 5 leyendas». «AfroCubism».

Breve descripción de la discografía más representativa de Eliades Ochoa

«Son de Oriente»:
Disco realizado en los estudios Siboney de Santiago de Cuba, con el sello EGREM. En su primera edición fue de vinilo con el título «Harina de maíz criolla», posteriormente aparece como «Son de Oriente» con el mismo sello discográfico. Este disco fue el primero que realizara Eliades con el Cuarteto Patria, liderado por Francisco Cobas la O.

La sabrosura no se hace esperar, sus integrantes marcados por la tradición obsequian lo mejor de su repertorio criollo y representativo de aquellos años. El mismo fue realizado en el año 1980.

«María Cristina me quiere gobernar»
También fue realizado en este estudio de grabación en el año 1982. Como invitado el destacado trovador y compositor prolífero Antonio Fernández Ortiz, *Ñico Saquito*, además de Chelito y la Rosa, célebres trovadores.

El repertorio pertenece al propio Ñico el disco correspondió al homenaje por su destacada trayectoria artística.

Estaban en el acompañamiento los demás integrantes de la agrupación. El disco «María Cristina me quiere gobernar» fue el último legado del destacado músico. Con el paso del tiempo, visita Cuba el señor Nick Gold, productor del sello discográfico World Circuit Ltd. en Londres. Él buscaba agrupaciones de reconocida trayectoria y, de regreso a su país, en el aeropuerto de La Habana, compró este disco y le gustó la manera de cantar y tocar de Eliades Ochoa, entonces no demoró mucho en encontrarlo. Es en Londres donde ambos sellan una amistad materializada con el disco «Buena Vista Social Club», premio Grammy 1997, álbum que revalorizara la música cubana al darle vida a muchos artistas que estaban olvidados.

«Chanchaneando con Compay Segundo»
Invitado: Francisco Repilado Muñoz, *Compay Segundo*.
El disco es grabado en los estudios Siboney en el año 1989, el repertorio tiene el mérito de incluir por vez primera la canción *Chan-Chan* que le ha dado la vuelta al mundo por la belleza que encierra.

Eliades Ochoa es el primero en reconocer los valores de esta canción, de incalculable armonía, entonces propone a su autor cantarla junto al Cuarteto Patria, al igual que todo el repertorio de este disco que reincorpora a Compay, tras unos cuantos años de ausencia de los escenarios.

Con el sello EGREM se realizó la segunda tirada del disco, en 1999, y en 2000 el disco compacto, con las notas discográficas del investigador y escritor Bladimir Zamora, quien comenta que Eliades es un trovador sabio, que estuvo entre los primeros en reconocer la trascendencia del *Chan-Chan* a tal punto que la convirtió en emblema para su trabajo.

«Chanchaneando» recoge obras de magníficos compositores como, Roberto Carrión, Luis Marquetti, Sergio Siaba, José Pedralles, Calixto Cardona y otros.

«A una coqueta»
Fue grabado entre los años 1986 y 1993 en los estudios Siboney y en México.

El crítico de arte Pedro de la Hoz escribió las notas al disco y reflejó que Eliades y sus músicos han sabido, desde una perspectiva trovadoresca, defender el son, un estandarte de alegría, y el bolero, como un motivo sentimental imprescindible.

También Mary Ferguaharson, investigadora, colabora a estas notas discográficas y asegura la frescura y relevancia al estilo de los viejos sones que tiene el disco «A una coqueta» aprecia la vis poética y cómica de Eliades Ochoa al improvisar versos tanto pasionales como humorísticos con un estilo muy personal, y revela el amor por sus raíces.

La investigadora valora el trabajo musical de Humberto Ochoa, guitarra y voz segunda, en el disco y reconoce como él mantiene una armonía necesaria desde el comienzo.

Participan Pancho Cobas, Aristóteles y Benito Suárez. La producción correspondió a Eduardo Llerena, dueño del sello discográfico Corazón y el disco fue licenciado en nuestro país por Caribe Producción.

«Se soltó un león»
También con la licencia del sello Corazón fue realizado este disco en 1993 y licenciado de la misma forma que el anterior, pero en el año 1999. El repertorio utilizado en este fonograma pertenece al afamado dúo Los Compadres integrado por Francisco y Lorenzo Hierrezuelo.

Los arreglos musicales los realizó el propio Eliades y la producción fue de Eduardo Llerena. Participan, además de Humberto y Eliades, Roberto Torres y William Calderón, que nos hicieron recordar con este repertorio a los compositores de estas hermosas canciones.

Cuba es una isla multicultural, aunque Eliades no nació en la capital es de los puntales que el tiempo conserva como buena sabia porque conserva lo mejor del trovador, con humildad toca su guitarra sin rodeos, limpia. Canta con seguridad melódica puesto que confía plenamente en lo que hace y está ajeno del grupito o la canción del momento.

«La parranda del terror»
Con el Cuarteto Patria
Este fonograma fue realizado en 1992 en Galadar, Gran Canaria, producido por el sello discográfico Perinké.

Una mezcla de canciones acompaña el disco, entre ellas. *El que siembra su maíz*, *Compay gallo* y *Pena*. La agrupación estuvo integrada por nuevos músicos porque sus fundadores habían sido jubilados por el Ministerio de Cultura y sus años de trabajos fueron compensados con una pensión decorosa.

Es por ello que se incorporaron Joaquín Solórzano, Armando Machado, además de Humberto Ochoa hermano de Eliades. Debo enfatizar que estuvo algún tiempo, en el grupo, el destacado flautista santiaguero Jorge Le Liebre, hoy integrante de la orquesta los Van Van, y acompañó el repertorio de este disco. Todos estos músicos de Eliades se presentaban en sus descargas habituales en la Casa de la Trova de Santiago de Cuba, en los Festivales Pepe Sánchez, que realiza la institución, teniendo el nombre del ilustre trovador de la ciudad y padre del primer bolero cubano.

«La trova de Santiago de Cuba. ¡Ay, mamá, qué bueno!»

También realizado con el mismo sello discográfico canario, pero en el año 1995.

En las notas discográficas incorporó un poco de historia desde la fundación del grupo o trayectoria de sus integrantes.

El repertorio no deja de ser criollo pero es más contemporáneo, rejuvenecido quizás por la sabia joven de sus integrantes. Las guarachas, sones, boleros reflejan el despegue musical de la agrupación, dirigida por Eliades Ochoa.

Aquí el director incorpora a su hijo, Eglis Ochoa Hidalgo, y toca las maracas además de hacer coros.

Entonces la estructura de cuarteto quedará —Eliades y el Cuarteto Patria—, aunque realmente son cinco.

«Eliades Ochoa y el Cuarteto Patria»
Es producido, en los estudios de la EGREM de Santiago de Cuba, en el año 1996, por Enrique Díaz y la grabación y mezcla es de Manuel Rondón Arias.

Como es costumbre en estos trovadores las canciones seleccionadas, la mezcla y todo el trabajo hicieron posible el reconocimiento especial en la feria del disco cubana que realiza la EGREM en La Habana cada año.

Pienso que la agrupación se manifiesta a otros aires, a los tiempos sin renunciar a sus raíces, y es que Eliades estaba despuntando porque estando en Santiago, allí en la Casa de la Trova, los músicos capitalinos, seguidores y aspiradores a interpretar trova se percatan de la sabrosura para tocar y demostrar las melódica canciones de los grades de la trova.

«CubÁfrica»
Estando los músicos de concierto en Europa en 1996, graban el fonograma junto al célebre Manu Dibango, un maestro del saxofón. Sale a la venta en 1998.

En vísperas de un concierto en el Festival de Angouleme, París, se conocieron y Dibango asistió a la presentación de estos músicos cubanos para que el maestro Eliades conociera cómo él sabía canciones de los grandes maestros, entre ellos Miguel Matamoros y Ñico Saquito.

Con el sello parisino Melodía estos músicos ensayan y graban el disco en solo dos semanas. El repertorio muestra temas cubanos y otros, del propio Manu, como *Rumba macosa*, *Cosita linda* o *Cerisiers roses*.

«Buena Vista Social Club»
Grabado en los estudios San Miguel, en La Habana, en 1996. Producido por el sello discográfico inglés World Circuit Ltd., con un representante y músico conocido por Nick Gold, amante de la riqueza musical de Cuba.

El disco fue premiado en 1997 con un Grammy americano, participan estrellas de la música como Compay Segundo, Ibrahim Ferrer, Rubén González, Omara Portuondo, el americano Ry Cooder y Eliades Ochoa, con su voz y guitarra.

Muchos son los músicos reincorporados a la vida cultural de su país que habían sido olvidados. Este disco revaloriza la música cubana la que, a partir de entonces, es más escuchada en el mundo, no importa el género ni la cantidad de integrantes.

Juan de Marcos González, director del grupo Sierra Maestra y tresero, conocía a Eliades. Desde Londres y con el propósito de contar con él para la grabación del disco, le envió mensajes de localización urgente por medio del programa, de indiscutible radioaudiencia, *Una tarde con Eduardo Rosillo*, amigo de los músicos cubanos.

Una vez en Cuba, Juan de Marcos aglutina músicos de diferentes generaciones, un mérito importante para el éxito del premio Grammy del «Buena Vista Social Club», y aunque algunos músicos se conocieron en la grabación, fue una experiencia inolvidable para los que pudimos ver la familiaridad que se respiró aquí, y quedó sellada por siempre en el cariño, cuando compartían conciertos, entrevistas o alguna que otra coincidencia en la calle, restaurante o institución cultural.

«Continental Drifter»
Estaba la agrupación cumplimentando la gira de verano en Europa conjuntamente con Raciel Ruiz, actual director de la EGREM. Allí, en Noruega, conocen a Charlie Musselwhite, destacado músico de blues, californiano que tiene en su haber temas pera filmes del oeste, además de reconocidos premios.

La oportunidad de grabar este disco ocurrió simplemente así. En el año 1999 sale el disco, que contiene diez canciones, entre ellas una versión del *Chan-Chan* de Compay Segundo que le ha dado la vuelta al mundo, además de *Qué te parece Cholito* y *Sabroso,* sones de buen gusto y popularidad internacional.

Eliades con responsables acordes, claros, definidos deja las huellas del maestro santiaguero. El disco fue nominado a los premios Grammy americanos, ambos músicos realizaron conciertos que entrelazaron lo representativo de sus culturas.

«Cuidadito, Compay gallo, que llegó el perico»
Es un disco homenaje al prolífero músico Ñico Saquito, todos los temas que aparecen fueron compuestos por él. Fue grabado en 1998, en los estudios Siboney de Santiago de Cuba.

Las notas discográficas se realizaron a petición del hijo de Ñico, porque él deseaba que se reflejara un poco la historia de este maestro de la guaracha y con un timbre de voz tan peculiar.

Aparecen en el repertorio algunos temas por vez primera grabados como *La venganza del perico* y otros conocidos como *Al vaivén de mi carreta*, *Me tenían amarra'o con p.* y otras preferidas para recordarle.

«Sublime ilusión»
Es el título del disco realizado con La Raíz de Virgin, España, en 1999. Un disco inolvidable y bien elaborado. Eliades debía ser conocido en Cuba, porque en el extranjero ya lo identificaban con el disco, el filme *Buena Vista Social Club* y las canciones interpretadas en diferentes escenarios del mundo.

Analizaron el repertorio del disco «Sublime ilusión» y decidieron hacer un vídeo-clip a la canción *Píntate los labios, María* ya conocida en los años '70 por la interpretación del músico Roberto Faz y cantada nuevamente por Eliades con una factura increíble. La discográfica invitó al destacado realizador de reconocidos filmes y Premio Nacional de Cine en Cuba, Juan Padrón, a Madrid; allí él conoció a Eliades y efectuó todo el trabajo del primer animado, que le dio la vuelta a Cuba y quedó en la memoria de los niños

Durante minuto y medio recrea la canción del clip con *La leyenda del beso* o *Amor de hombre.*

John Wooler, productor del disco, también comentó: «Eliades es un conocedor de las raíces tradicionales de su país».

Participaron en el fonograma David Hidalgo (integrante de Los Lobos), Ry Cooder y Charlie Musselwhite.

«Grandes éxitos de Eliades Ochoa»
Una compilación de canciones de todo el trabajo musical de la agrupación. Realizado en 2000 con la EGREM, Cuba. Canciones del archivo institucional como *Pedro el cojo*, *El caldero de Elsa* y otros.

«Tributo al Cuarteto Patria»
Como su nombre lo indica es un homenaje por los sesenta años del grupo y está dedicado a todos los músicos que formaron parte de él. Producido por Eliades Ochoa en el año 2000, en los estudios de la EGREM y Madrid.

Como invitados en el repertorio estuvieron María Ochoa, Faustino Oramas, *el Guayabero*, Armando Machado, Joaquín Solórzano y Rey Cabrera.

La guitarra tres de Eliades abre inevitablemente la ventana del tiempo y asegura en todas las canciones el éxito con el aroma de la campiña cubana, sus rones y el astro luna para celebrar los lauros del son, la guaracha y el bolero junto a los músicos. Este disco fue nominado a los premios Grammy 2000 en la categoría de Música Tropical Latina.

«Estoy como nunca»
Realizado en 2002 en Los Ángeles, California. Nominado a los premios Grammy.

Los once temas que presenta poseen la elegancia que caracteriza al maestro de los dedos de oro y las cuerdas de acero. Hasta que la masterización termina y le gusta no está tranquilo, el comenta: «las cosas no hay que hacerlas bien sino mejor porque el día a día es la evaluación de las personas...»

Ellos se han encontrado cómodos al realizar cada canción; cada una tiene su gusto, guarachas, sones montunos, boleros que derraman pasión, experiencia y amor, avaladas por llevar la trova como una prenda de la que no puedesn ni desean deshacerte.

La identidad cultural se refleja en toda la discografía de la agrupación. En la capital fue motivo de atención, cómo un trovador, sin conocimiento alguno del pentagrama, logra ir escalando entre los suyos y motivó a muchos coterráneos capitalinos a aceptar que lo realizado es bueno. Hoy los grandes escenarios no dejan de aplaudirle y reconocer el dominio del instrumento y el canto.

«Un guajiro sin fronteras»
Es una recopilación de la música del artista realizada en 2004 con el sello discográfico EMI, España. Se incluye al repertorio *El guateque de don Tomás* y *Gonzalo no quiere que bailes,* además de otras conocidas, entre ellas, *Hemingway delira*, una colaboración al músico español Luis Eduardo Aute; *Siboney,* de Ernesto Lecuona; *Estoy como nunca,* de Enrique Raimat González y *La pulga*.

La aceptación del disco por la crítica, admiradores y seguidores hacen a Eliades crear y cantar para estos, «su familia grande», así llama a todos cuando está en el escenario, porque son la razón de los vítores y emociones cuando termina cada concierto.

«Las 5 leyendas»
El disco fue realizado en 2005 por la EGREM. Contiene un recopilatorio de cinco prestigiosos músicos cubanos: Eliades Ochoa, Compay Segundo, Ibrahim Ferrer, Omara Portuodo y Rubén González.

Ha sido uno de los más vendidos en Cuba y el extranjero en los últimos años. Contiene quince canciones por integrante. La calidad y el buen diseño reflejan la evolución de la empresa del disco cubano.

«AfroCubism»

Este disco fue producido en España por la discográfica inglesa World Circuit Ltd. en 2010. Los músicos participantes son del grupo Patria, liderado por Eliades Ochoa, y otros músicos invitados de África.

La repercusión del álbum trasciende en los conciertos y en las entrevistas como cresta de ola, porque el tiempo ha convertido al maestro Eliades en experimentado de las cuerdas y el canto, y así lo demuestran canciones de su autoría incorporadas por vez primera a una placa discográfica. La humildad de él la revierte en la virtud de crear e interpretar según los tiempos.

«Ser bueno no es una meta, la idea es ser mejor cada día», así el trovador recibe multiplicados aplausos, convirtiéndose en un virtuoso de espiritualidad musical renovadora e identidad nacional particular.

Las voces que atesora este disco, «Afrocubism», son reflejo del mestizaje cultural, donde los marcados acordes y el tumba´o novedoso en las canciones se adueñan del repertorio y demuestran cómo los ritmos se fusionan, entonces la música no tiene fronteras.

«En hora buena», dice a su respecto Nick Gold, músico y productor del sello discográfico World Circuit Ltd., «por fin vas a hacer realidad un proyecto con el que soñaste...»

Eliades ha regalado toda esa discografía a su pueblo en programas de la radio y de la televisión, y como ya es un músico universal también en escenarios internacionales se le encuentra muy frecuentemente. Su voz se ha escuchado en programas radiales en países como México, los Estados Unidos, Canadá, Venezuela, Panamá, Colombia, España, Italia, Australia, Nueva Zelanda, Holanda y Sudáfrica.

Algunos programas de la televisión internacional en los que ha actuado

- TV Azteca, México, en varios programas.
- CNN Culturales, Los Ángeles, Estados Unidos.
- *Paz para el mundo*, cantada por Eliades el Día de Reyes, Epifanía, 2004.
- TV Francia, *La balada de Cyrius*. Filme documental musical de Sarah Benillouche, 1995.
- TV, documental del director alemán Wim Wenders, *Buena Vista Social Club*, 1998.
- TV, documental de Patricia Ferreira, *Luchando por la vida*, 2006.
- TV Adelaida, Australia WOMAD, 2010.
- TV New Zeland Womad, 2010.

Programas de la radio nacional

- *Frecuencia total,* La Habana.
- *Una tarde con Eduardo Rosillo,* La Habana.
- *Alegrías de sobremesa*, La Habana.
- *La discoteca de Radio Progreso*, La Habana.
- Radio Taíno, La Habana.
- CMKC, Santiago de Cuba.
- Radio Mambí, Santiago de Cuba.
- *Cita con la trova*, con Lino Betancourt Molina, periodista y musicógrafo, escritor de programas de la música cubana en Radio Taíno, La Habana.

Programas de la televisión cubana

- TV Cristal, Holguín. Hace más de veinte años el telecentro abre con la canción a Holguín de Méndez Carlos, interpretada por Eliades y el Cuarteto Patria.
- TV Turquino, Santiago de Cuba. *Un abrazo, guajiro*, atesora entrevistas de Francisco Repilado, el Patria, Eliades

Ochoa y Polo Montañez. Además, entrevistas que le realizaran en festivales de la Casa de la Trova, Festival del Son, del Bolero y Festivales de la Cultura caribeña.

- Entre los años 2006-2007, realizó la gira nacional, ofreciendo entrevistas en los telecentros y emisoras de radio.
- TV, *23 y M*, conductora Edith Massola y director Julio César Leal.
- TV, *Palmas y cañas*, donde nace lo cubano.
- TV, Premios Lucas. Concursa con el vídeo estrella *Píntate los labios*, *María*, pionero en el animado, realizado por el maestro Juan Padrón y recordado por muchos televidentes, especialmente los niños.
- TV, Otros tiempos, conductora Zenaida Romeu.
- TV, *En primer plano*.
- Canal Habana.
- Audiovisual 45 de la EGREM.
- Vídeo, *Estoy como nunca,* realizado por Julio César Leal, 2002.
- Vídeo, *Cambio de profesión,* de Eliades y la cantante la Fres-K.
- Programas *Revista de la mañana* y *Al mediodía.*
- Dos programas *En familia*, conducido por Alfredo Rodríguez.
- Vídeo *Estoy como nunca ,* realizado por Julio César Leal, 2002.

Datos biográficos

Érase una vez una familia a la que el 22 de junio de 1946 le nació un niño, a quien dieron por nombre, Eliades Ochoa Bustamante. Si revisamos la carta sideral sabremos que lo rige el signo de Cáncer.

- Y en el horóscopo chino contacta con el signo de perro.
- Nombre del padre: Aristónico Ochoa Salina.
- Nombre de la madre: Jacoba Bustamante León.
- Cantidad de hermanos: Seis.
- Lugar que ocupa entre ellos: Segundo.
- Hijos: Tres.
- Nombre de la esposa: Grisell Sande Figueredo.
- Lugar de nacimiento: Loma de la Avispa (Songo la Maya)
- Lugares donde ha residido: Loma de la Avispa, Gran Piedra, Naranjo de China (Songo la Maya), Santiago de Cuba y La Habana. Y ese hijo, que ya no solo fue de sus padres porque se convirtió en hijo de Cuba y del mundo, creció, se hizo pródigo en la música y… a su paso por ella le fueron otorgadas muchas bien merecidas distinciones:

Condecoraciones y premios por la cultura cubana

- Mejor Agrupación de Música Tradicional en su formato, 1979.
- Distinción por su destacada labor en la promoción de la cultura, 1989.

- Vanguardia Nacional de la Agrupación, 1984.
- Vanguardia Nacional de la Agrupación, 2000.
- Vanguardia Nacional de la Agrupación, 2001.
- Artista Laureado de la República de Cuba, 1990.
- X Aniversario del Movimiento de la Nueva Trova, 1990.
- XV Años de trabajo distinguido por la cultura, 1991.
- Mención Especial en la Feria del Disco Cubano, La Habana, 1997.
- Homenaje de la EGREM Nacional como genuino representante de la Música Tradicional, 2000.
- Premios Lucas por el Mejor vídeo-clip a *Píntate los labios, María*, 2000.
- Réplica del Machete de Máximo Gómez. La Habana, 2001.
- Reconocimiento por ser, a los cincuenta y cinco años, un auténtico exponente de la mejor música tradicional cubana, La Habana, 2001.
- Escudo de la ciudad de Santiago de Cuba, 2002.
- Medalla Alejo Carpentier del Consejo de Estado de Cuba, 2002.
- Placa José María Heredia, 2003.
- Hijo Ilustre de Santiago de Cuba, 2003.
- Medalla por los cuatrocientos noventa años de la ciudad de Santiago de Cuba.
- Orden Zoilo Marinello otorgada por el Consejo de Estado y firmada por el Comandante en Jefe Fidel Castro Ruz, 2001.
- Llave de la ciudad de Sancti Spíritus por la contribución destacada a la cultura cubana, 2008.

Y ese músico, aunque siempre regresa, se fue lejos… lejos… y participó en múltiples eventos

- Festival de la Trova Pepe Sánchez, Santiago de Cuba, desde su fundación.
- Festival Adolfo Guzmán, La Habana, 1980.
- Festival Carifesta en Barbados, Granada y Curazao, 1981.
- Festival Internacional de Varadero, 1988.
- Festival de la Música Folklórica Smithsonian Folks, Washington, 1989.

- Festivales del Caribe en Santiago de Cuba.
- Festivales del Son en Santiago de Cuba.
- Feria del Disco Cubano, La Habana, 1997.
- Feria Mundial del Disco en Cannes, Francia, 1999.
- Festival del Cine Cubano. Actuación Elenco del Buena Vista Social Club, La Habana, 2000.
- Festival Roskilde, 2000.
- Fiesta de actuación como Grupo Nominado a Grammy, Los Ángeles, 2001.
- TLN Telelatino en el Festival de Cine Reel World. Toronto, 2001.
- Feria del Disco Cubano en La Habana, 2001.
- Festival del Bolero en Santiago de Cuba, 2001.
- Feria del Habano junto a Chucho Valdés, 2006.
- Gira Nacional por toda la Isla, 2006-2007.

...y ha compartido escenarios en Cuba y en el mundo con disímiles personalidades de la cultura, entre ellos

- Rafael Cueto, miembro del Trío Matamoros, 1987.
- Carlos Puebla, destacado autor y trovador cubano, década del setenta.
- Barbarito Diez en su última presentación en el Anfiteatro Mariana Grajales de Santiago de Cuba.
- Víctor Jara, trovador chileno asesinado por la dictadura de Pinochet, en Santiago de Cuba.
- Ñico Saquito y el Dúo Cubano, más el Cuarteto Patria, con los que realizó presentaciones en la Casa de la Trova santiaguera y la grabación del último disco con los Estudios Siboney de Santiago de Cuba en 1982.
- Isaac Delgado, músico cubano, en varios escenarios cubanos y de otros países.
- Faustino Oramas, *el Guayabero*, en reiteradas ocasiones, en Santiago de Cuba, Holguín, España y en su noventa cumpleaños en Holguín, 2001.

- Francisco Repilado, cuando Eliades lo reincorporó a la vida cultural y así comienza Compay a trabajar en el Cuarteto Patria, 1986.
- Músicos del Buena Vista Social Club, desde la grabación del disco en 1996, en Holanda, 1999 y en Nueva York, 1999 y otras hasta el presente. Entre ellos, Omara Portuondo, Ibrahim Ferrer, Rubén González y Juan de Marcos González.
- David Hidalgo, músico de la agrupación mexicana Los Lobos. Los Ángeles, en la grabación del disco «Sublime ilusión» en 1999 y en varios escenarios de los Estados Unidos en 2000.
- Silvio Rodríguez, en la Feria Internacional del Libro de Guadalajara, en México en 2002.
- Juan Padrón, director de cine y Premio Nacional de Cine de Cuba, durante la realización del vídeo-clip *Píntate los labios, María.*
- Chucho Valdés en el Festival del Habano, La Habana, Cuba, 2006.
- Generoso Jiménez, saxofonista, antiguo músico de la banda de Benny Moré, en Santiago de Cuba, en Festivales de la Trova, y en Londres en 2004.
- José María Vitier, en la Casa de la Trova de Santiago de Cuba, junto a otros músicos de la ciudad y el Patria en 1999 y 2006.
- Jarabe de Palo, grupo musical español.
- Grupo Blof de Holanda.
- Manu Dibango, saxofonista.

…y ha obtenido diversas condecoraciones y premios internacionales

- Premio Grammy por el disco «Buena Vista Social Club» en los Estados Unidos, 1997.
- Disco de Oro por 50 000 copias vendidas del álbum «Buena Vista Social Club», 1998.
- Disco de Oro por 50 000 copias vendidas del disco «Buena Vista Social Club», en Holanda, 1997.

- Hijo Ilustre de la Comunidad de Bari, en Italia, 1998.
- Nominación al premio Grammy por el disco «Sublime ilusión», en los Estados Unidos.
- Nominación al premio Grammy por el disco «Continental Drifter» junto a Charlie Musselwhite, en los Estados Unidos, 1999.
- Nominación al premio Oscar por el filme *Buena Vista Social Club*, en los Estados Unidos, 1999.
- Disco de Oro por 100 000 copias vendidas del «Buena Vista Social Club», en Francia, 1999.
- Disco de Oro por 25 000 copias vendidas del «Buena Vista Social Club», en Dinamarca, 1999.
- Disco de Platino por 50 000 copias vendidas del «Buena Vista Social Club», en Dinamarca, 1999.
- Disco de Oro por 40 000 copias vendidas del «Buena Vista Social Club», en Surige, 1999.
- Disco de Platino por 300 000 copias vendidas del «Buena Vista Social Club», en Francia, 1999.
- Disco de Platino por 500.000 copias vendidas por el «Buena Vista Social Club», en los Estados Unidos, 1999.
- Disco de Platino en reconocimiento a su extraordinaria labor artística, en Japón, 1999.
- Disco de Platino por 100 000 copias vendidas del «Buena Vista Social Club», 2000.
- Disco por 100 000 copias vendidas en los Estados Unidos, 2000.
- Condecoración por su participación como Persona Ilustre al Jubileo 2000 en Mantova, Italia.
- Nominación al premio Grammy por el disco «Tributo al Cuarteto Patria», en los Estados Unidos, 2001.
- Mejor Álbum de Música Tradicional Folk «Tributo al Cuarteto Patria». SGAE, en Madrid, 2001.
- Disco de Plata por 500 000 copias y Disco de Oro por 250 000 unidades del álbum «Buena Vista Social Club».
- Nominado a los Grammy latinos por el disco «Estoy como nunca», 2003.
- Artista más vendido internacionalmente por el disco «Chanchaneando», 2003.

Pero todos estos lauros no serían verdaderos ni bien apreciados si el artista no hubiera recibido el aplauso de su pueblo y de miles de sus admiradores.

Cierre y… Bis

Letras de las canciones del disco insertado

Título: *Guaguancó del arranca´o*
Género: Guaguancó
Letra y música: Eliades Ochoa

(Dianas libres)
Oye como dice el verso.
Dicen que el dinero no es la vida,
dicen que es tan solo vanidad.
Pero sin dinero no hay quien viva,
entonces, ¿cuál es la realidad?

(Dianas libres)
El dinero es el que mueve el mundo,
el oro es el Dueño y Señor,
con la plata, las penas se matan,
y sin ella te aumenta el dolor.

(Dianas libres)
La herencia que dejó mi papá,
La tienen que repartir.
Y es que sin dinero,
No se puede vivir.

(Dianas libres)
Pero yo estoy muy contento,
con lo que hacía mi mamá.

Me hizo pantalones nuevos,
con los viejos de mi papá.

(Dianas libres)
Yo quiero que tú me digas,
si yo estoy equivoca´o.
Yo prefiero tener cuatro pesos,
que siempre estar arranca´o.

(Dianas libres)

Estribillo: Guaguancó pa´l arranca´o.

´´GUAGUANCÓ DEL ARRANCÁO´´

Letra y Música: Eliades Ochoa

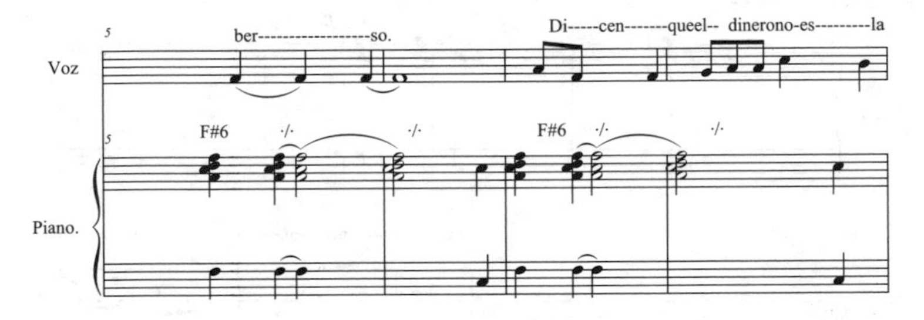

13
ni----dad.
Pe----ro-------sin--------di----ne----ro-nohay-quien
Voz
C#7/G#
Piano.

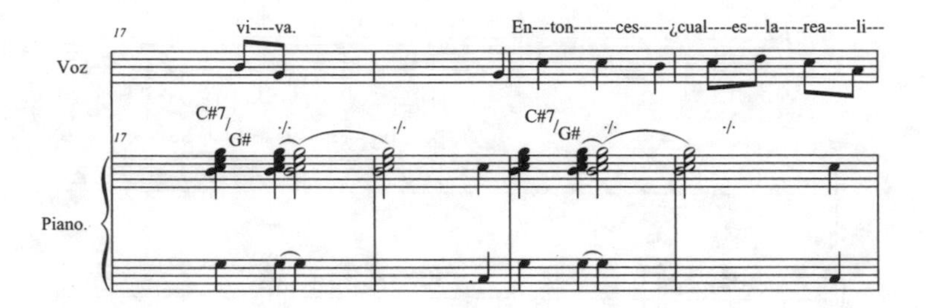
17
vi----va.
En---ton-------ces-----¿cual----es---la----rea-----li---
Voz
C#7/G#
Piano.

21
dad.
El------di-------ne-----ro,---------es----el---que--mue--veel
Voz
F#6
Piano.

Mun-----do.
El-----O--------ro---------es-----el---due--ñoy-Se---
Voz
F#
C#7
Piano.
ñor.
Con------la-----Pla----ta,----------las----pe------nas----se----
ma---tan.
Y--------sin-----e-----lla---------teau---men---tael----do----

37
lor.
Lahe---
Voz
F#6
Piano.

41
rén------cia
que---de----jó--------Pa------pá,
La
Voz
F#6
Piano.

45
tie-------nen-----------------que-re----------par-----tir,
Yes--
Voz
F#6
D#7
G#7
Piano.

49
que---sin------di-------ne-----ro
Voz
Piano.
G#7
G#7
53
No---se----pue---de----- vi----vir
Voz
Piano.
G#7
G#7
57
Voz
Piano.
G#7
F#6

61
Pe----ro----yoes--toy----muy---con--ten---to,
Voz
F#6 ·/· ·/· F#6 ·/· ·/·
Piano.
65
Con--lo---queha-cia-----mi-------Ma-------má,
Voz
F#6 ·/· ·/· F#6 ·/· ·/·
Piano.
69
Me---hi--------zo--------pan---ta-----lo----nes----nue------vos,
Con----los
Voz
F#6 ·/· ·/· F#6 ·/· ·/·
Piano.

73
vie-------jos-------de------mi-------Pa--------pá.
Voz
C#6
B6
F#6
Piano.

77
Yo---quie----ro---que----tú----me--digas,
Voz
F#6
F#6
Piano.

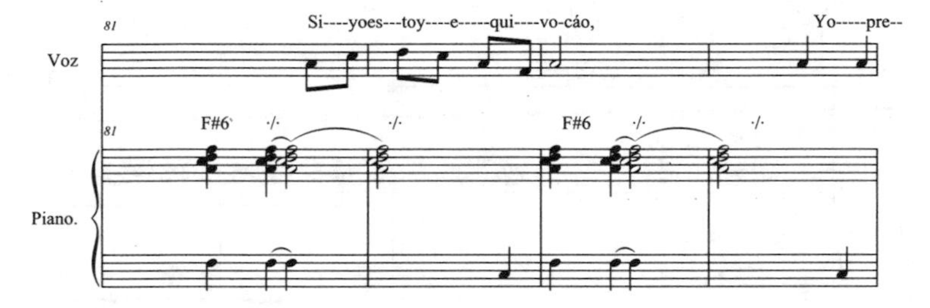
81
Si----yoes---toy----e-----qui----vo-cáo,
Yo-----pre--
Voz
F#6
F#6
Piano.

85
fie-----ro----------te------ner-------cua-------tro------ pe----------e-------sos,
Voz
85
F#6
Piano.

89
Que---siem-----prees----tar-----a------rran---cáo.
Voz
89
F#6
C#7
B6
Piano.

93
Voz
93
F#6
F#6
Piano.

ESTRIBILLO
Clave (2-3)
Gua--guan-có-------pál-----a------rran--cáo.
97
Voz
Piano.
F#6
·/·
F#6

101
Voz
Piano.
·/·

Título: *Vamos a alegrar al mundo*
Género: Son-montuno
Letra y música: Eliades Ochoa

Coro: Está bueno ya de tristeza,
vamos a alegrar al mundo.
Oye, está bueno ya de tristeza, María,
vamos a alegrar al mundo.

Solista: Tómate una cerveza
y tráeme un trago de ron.
Tómate una cerveza,
y tráeme un trago de ron.
Vamos a vivir la vida,
que el mundo es un vacilón.

Coro: Está bueno ya de tristeza,
vamos a alegrar al mundo.
Oye, está bueno ya de tristeza, María,
vamos a alegrar al mundo.

Solista: Yo sentí los gallos,
cantar por la madrugá´.
Yo sentí los gallos,
cantar por la madrugada.
Como yo soy gallo fino,
oye bien esta tonada.

Coro: Está bueno ya de tristeza,
vamos [a] alegrar al mundo.
Oye, está bueno ya de tristeza, María,
vamos a alegrar al mundo.

Solista: Prepara los pies, María,
vamos a bailar un son.
Prepara los pies, María,

que se va a formar el rumbón.
Que va a tocar el Grupo Patria,
y vamos a bailar un son.

Coro: Está bueno ya de tristeza,
Vamos a alegrar al mundo.
Oye, está bueno ya de tristeza, María,
Vamos a alegrar al mundo.

Solista: Cuando vayas a bailar,
consíguete un buen sonero.
Cuando tú vayas a bailar,
consíguete un buen sonero.
que siempre vista de negro,
y que tenga un buen sombrero.

Coro: Está bueno ya de tristeza,
vamos alegrar al mundo.
Oye, está bueno ya de tristeza, María,
Vamos a alegrar al mundo.
Estribillo: Vamos a alegrar al mundo.

´´VAMOS ALEGRAR AL MUNDO´´

Letra y Música: Eliades Ochoa

Tomateu-na---cer------ve----za--------Y-----trae----me---un-----tragoderon.
Voz
C7/G
F6
C7/G
F6
Piano.
Vamosavi-vir----la-vi------da,
Queel Mun-doesun-va----ci
G7
G7
G7
C7

lón
CORO
Esta--
Voz
Piano.
Del Signo a la Bola y a la (A)

22 (A)
Yo---sen---tí-----los-----Ga---yos, Can---tar----por----lamadrugá,
Voz
22 (A) C7/G F6 ·/· C7/G ·/· F6 ·/· C7/G
Piano.
26
Yo---sen----tí----los------Ga---yos, Can--tar-----por---la------madruga----da,
Voz
26 ·/· F6 ·/· C7/G ·/· F6 ·/· G7
Piano.
30
Comoyosoy--Gayo-fi-----no, Oyebien-es---ta-to--na------da.
CORO
Esta---
Voz
30 ·/· G7 ·/· G7 ·/· C7 ·/·
Del Signo
a la Bola
y a la (B)
Piano.

34 (B)
Prepara-los------pies-----María,
Vam-os-----a-----bai--larun----Son.
Voz
C7/G
F6
·/·
Piano.
38
Prepara-los-------pies-----María, --------Quese--va----formar--unrum----bón,
Quevato-
G7
42
car--el--Gru--po----Pa---tria,
Yvamosabai-lar-- un----Son
CORO
Esta-----
C7
Del Signo
a la Bola
y a la (C)

(C)
Cuandovallas-a-----bai------lar,
Con---si-----gue--teun-buen-Sone-----ro.
Voz
(C)
C7/G
F6
-/-
Piano.
Cuandotuvallasabai------lar,
Con---si-----gue--teun-buen-So-ne-----ro.
Que--
G7
siem-previs-ta-de-ne--gro,
Y-queten--gaun-buen-som-bre--ro.
CORO
Esta------
Del Signo
a la Bola
y al Estribillo

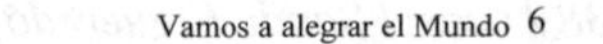

ESTRIBILLO
58
Vamosale--grarel--Mun----do.
(Guias libres)------------------------------------
Voz
58
Gm Gm7 F ·/· F7maj F6 Gm Gm7 F ·/· F7maj F6
Piano.

Título: *Pajarito voló*
Género: Son
Letra y música: Eliades Ochoa

Les voy a hacer una historia,
[de] algo que me sucedió.
Si hay que buscar un culpable,
ese culpable soy yo.
Le zumba el mango.
Yo tenía una paloma,
era un hermoso animal.
Quise meterla en mi jaula,
y todo me salió mal,
Y eso le zumba el mango.

Ella quería ser libre,
la jaula nunca entendió.
El cambio que yo quería,
eso nunca sucedió,
Y eso le zumba el mango.

Un día llegué a la casa,
todo me sorprendió.
Cuando vi la jaula abierta, dije:
¡Ay, pajarito voló!
Pajarito voló.

Estribillo: Jaula abierta,
Pajarito voló.

´´PAJARITO VOLÓ´´

Letra y Música: Eliades Ochoa

13
Voz
Yo-- te--niau-na pa---lo-----ma.
E-----raun-her---------mo----so-ani
Piano.
Fm7
Gm7+4

17
Voz
mal.
Qui-----se-meter--la-en-mijau--la,
Y-- to--do--me-sa-lio-mal,
Piano.
Bbm7
Fm7
G7
C7

21
Voz
Y eso-so--le----zum---bael--man-----go.
Piano.
Fm7
Fm6

25
E----lla-----que-rí--a---se------ li---------bre, La-----jau
Voz
Piano.
Fm7
28
la----nun--caen--ten----dió. El--------cambio--que-yo-que--rí---a, E--
Gm7+4
Bbm7
Fm7
G7
32
so-nun-ca-su----cedió, Y-e---- so-le-----zum---bael--man-----go. Un-
C7
Fm7
E7
Eb6

36
dí-a--lle-guea-la-ca-----sa, To------do---me--sor---pren---dió. Cuan
Voz
Ab Eb6 Ab C7
Piano.
40
do-vi--la--jau---laabier----ta----di-----je,---!Ay------ paja---ri-----to-vo------ló!
Voz
Fm7 Bbm7 C7 C7
Piano.
44
Pa----ja-------ri-------to---------------vo------ló.
Voz
Piano.

51 (Guias libres)--

Voz

F7maj Gm7 ·/· C7 ·/· F7maj ·/·

Título: *Mil gracias, Grisel*
Género: Bolero
Letra y música: Eliades Ochoa

Grisel, yo no sabía,
que había tanto amor en ti.
Grisel, Grisel María,
a tu lado soy feliz.
¡Qué distinta es la vida
desde que te conocí!
Gracias, te doy mil gracias,
por lo que me haces sentir.
Gracias, Grisel mil gracias,
porque tú has hecho vivir…
Las ilusiones perdidas,
pensamiento a la deriva.
Que han vuelto en mí a revivir.

Interludio

Grisel María,
a tu lado soy feliz.
¡Qué distinta es la vida
desde que te conocí!
Gracias, te doy mil gracias,
por lo que me haces sentir.
Gracias, Grisel mil gracias,
porque tú has hecho vivir.
Las ilusiones perdidas,
pensamiento a la deriva.
Que han vuelto en mí a revivir.

''MIL GRACIAS GRISEL''

Letra y Música: Eliades Ochoa

13
ci
Gracias,-------te doy mil gracias.
Por lo que ma haces sen-
Voz
Piano.
G7
C
G7
F6
17
tir.
Gracias,---------Grisel mil gracias,
Porque tú haz hecho vi-
Voz
Piano.
C
C
G7
F6
21
vir.
Las ilusiones per-------di------------das.
Pensamiento a la de-
Voz
Piano.
C
F m7
G7
F m7

25 ri------------va. Que han vuelto en mi a revi---vir.
Voz
Piano.
G7
G7
C m7
A
G7
29
Grisel---- Ma-ri------------a
C m7
A
G7
C m7
G7
33
a tu lado soy fe---liz
!Que distinta es la vi------------da!
F m6
C m7
C m7
G7

37
Desde que te cono--ci.
Gracias,------te doy mil gracias.
Voz
37
Piano.
F m7
G 7
C
G 7
41
Por lo que me haces sentir.
Gracias,-------Grisel mil gracias.
Voz
41
Piano.
F 6
C
C
G 7
45
Porque tú haz hecho vi--vir.
Las ilusiones per------di------------das.
Voz
45
Piano.
F 6
C
F m7
G 7

49
Pensamiento a la deri-----------va.
Que han vuelto en mi a revi--vir
Voz
Piano.
F m7
G 7
F m5o
C m7
53
Voz
FIN
Piano.
A 6
G 7
C 7maj
C 7maj
FIN

Título: *La curiosidad me mata*
Género: Son-montuno
Letra y música: Eliades Ochoa

(Bis) La curiosidad por decirte lo bien que tú estás.
La curiosidad por decirte lo buena que estás.
Coro: Me mata la curiosidad.
Yo quiero decirte tantas cosas bonitas,
yo quiero decirte cosas que a ti te alegrarán.
Que tú te ves bien como quiera hasta en bat´e casa y to´a desgreñá.

Que tú te ves bien como quiera hasta en bat´e casa y to´a desgreñá.

(Bis) La curiosidad por decirte lo bien que tú estás.
La curiosidad por decirte lo buena que estás.
Coro: Me mata la curiosidad.
Tú quieres negarlo pero yo descubrí una cosa,
tú quieres negarlo pero yo descubrí una cosa,
es que cuando tú me miras, tú te pones nerviosa,
es que cuando tú me miras, tú te pones nerviosa.

(Bis) La curiosidad por decirte lo bien que tú estás.
La curiosidad por decirte lo buena que estás.
Coro: Me mata la curiosidad.
Hace mucho tiempo que por ti yo estoy esperando,
hace mucho tiempo que por ti yo estoy esperando,
y tú me miras, te ríes, pero no me dices cuándo,
y tú me miras, te ríes, pero no me dices cuándo.
(Bis) La curiosidad por decirte lo bien que tú estás.
La curiosidad por decirte lo buena que estás.
Coro: Me mata la curiosidad.

Yo voy poco a poco, pero siempre con cuidado.
Yo voy poco a poco, pero siempre voy con cuidado.
Porque ella una vez me dijo, yo sé que tú eres casado,

porque ella una vez me dijo, yo sé que tú eres casado.
Estribillo
Coro: Y dime si no es verdad.

´´LA CURIOSIDAD ME MATA´´

Letra y Música: Eliades Ochoa

21 ñá. Que-tú-te----ves-bien-como-quierahastaenba--ta-eca-sa-y---toa-des---greñá,

Voz

21 ·/· C7 ·/· Fm7 ·/· C7 ·/· Fm7

25
y----ven---pa---cá
Tú--quieres---negar----lo----pe----ro---yo
Voz
Desde el Signo
hasta la Bola
y continuar en la (A)
(A)
Fm7
Eb7
Piano.
29
des--cubríu---na-co-----sa.
Tú--quieres---negar----lo----pe-----ro---yo
Ab6
33
des--cubri---unaco------sa,
Que-sies-cuando-tú----memi-----ras---------------tú
C7

37
te----po----nes---ner----vio----sa,
Que-sies-cuando-tú--me-mi-----ras---------------tú
Voz
37
·/·
Fm7
·/·
C7
·/·
Fm7
·/·
C7
Piano.

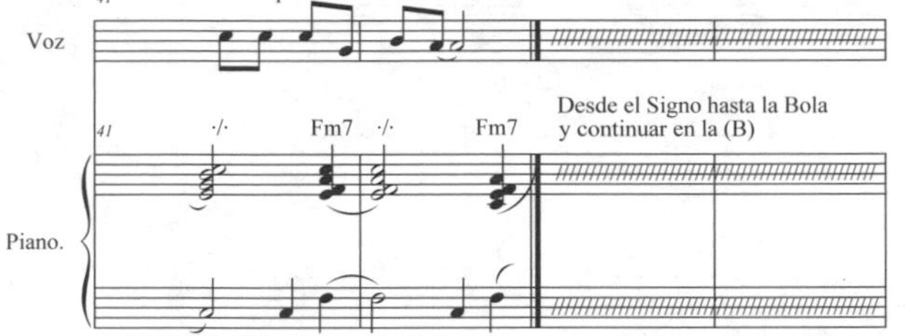
41
te----pon---es----ner-----vio--sa.
Voz
Desde el Signo hasta la Bola
y continuar en la (B)
41
·/·
Fm7
·/·
Fm7
Piano.

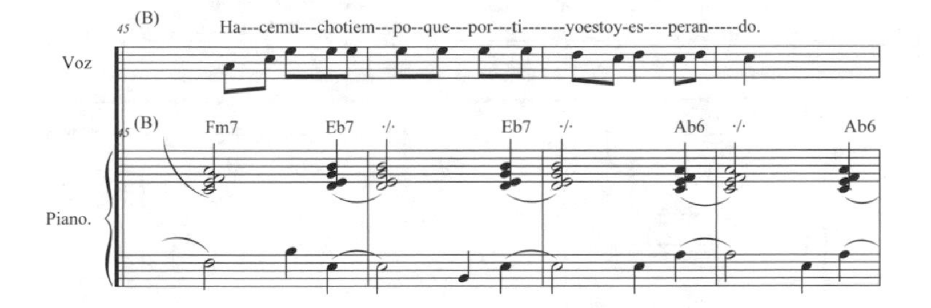
45
(B)
Ha---cemu---chotiem---po--que---por---ti-------yoestoy-es----peran-----do.
Voz
(B)
Fm7
Eb7
·/·
Eb7
·/·
Ab6
·/·
Ab6
Piano.

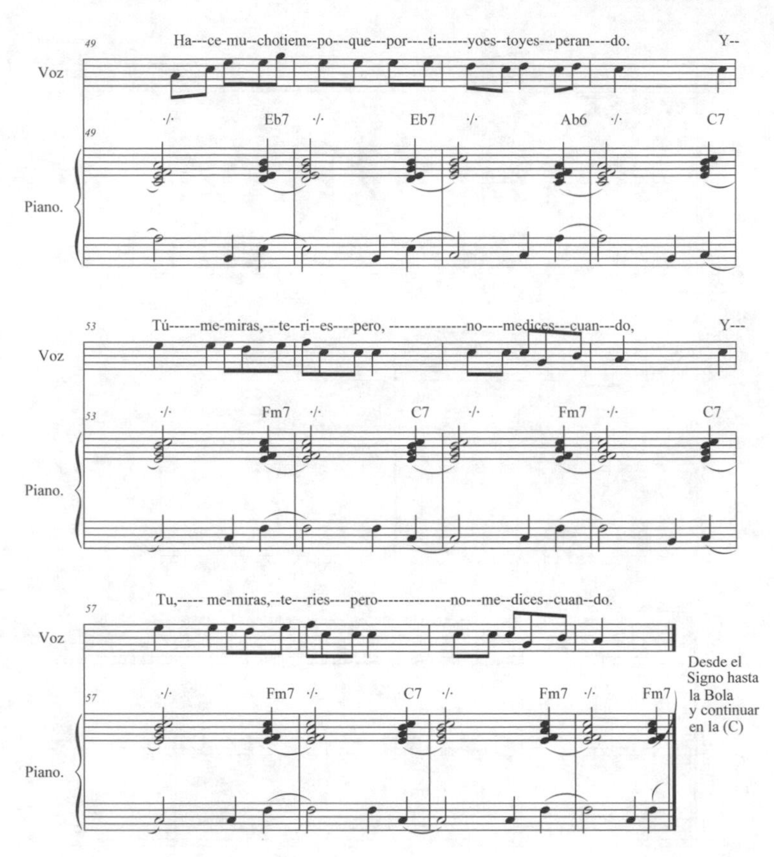
49
Ha---ce-mu--chotiem--po---que---por----ti------yoes--toyes---peran----do. Y--
Voz
·/· Eb7 ·/· Eb7 ·/· Ab6 ·/· C7
Piano.
53
Tú------me-miras,---te--ri--es----pero, --------------no----medices---cuan---do, Y---
·/· Fm7 ·/· C7 ·/· Fm7 ·/· C7
57
Tu,----- me-miras,--te---ries----pero-------------no---me--dices--cuan--do.
·/· Fm7 ·/· C7 ·/· Fm7 ·/· Fm7
Desde el
Signo hasta
la Bola
y continuar
en la (C)

(C)
Yo---voy--po----coa-po----co, pe---ro-----siem---precon-cuida-----do.
Voz
(C)
Fm7 Eb7 ·/· Eb7 ·/· Ab6 ·/· Ab6
Piano.
Yo---voy--po----co-a-poco,-pero---siem-pre----voy--con---cui---da------do. Por--
Voz
·/· Eb7 ·/· Eb7 ·/· Ab6 ·/· C7
Piano.
queElla-unavez--medi-----jo, Yo-sé-que--túe-res--ca-sa------do, Por--
Voz
·/· Fm7 ·/· C7 ·/· Fm7 ·/· C7
Piano.

73
queElla--unavez--medi----jo,
Yo-séque--túeres----casa------do.
Voz
Fm7
C7
Fm7
Fm7
Piano.
77
ESTRIBILLO
Y--di------mesi--noesver---dad.
Voz
Fm7
C7/G
C7/G
Fm7

Piano.

Toda una vida en imágenes

Eliades Ochoa junto a sus padres y cinco de sus hermanos.

De izquierda a derecha: Benito Suárez,
Radamés Carmañol y Eliades Ochoa.

Radamés Carmañol, Eliades Ochoa y su hermana María Ochoa.

Cuarteto Patria: Aristóteles Limonta, Joaquín Solórzano, Francisco Cobas y Eliades Ochoa.

Francisco Cobas, Eliades, Aristóteles e Hilario Cuadras
(Cuarteto Patria antiguo), Santiago de Cuba.

Aristóteles, Joaquín, Francisco y Eliades
en el parque Céspedes, Santiago de Cuba.

Eliades Ochoa en la antigua Casa de la Trova, Santiago de Cuba.

Eliades Ochoa.

Cuarteto Patria.

Cuarteto Patria.

Armando Portela, Eliades Ochoa y Efraín Martínez en la antigua Casa de la Trova, Santiago de Cuba.

Carlos Puebla, Eliades Ochoa y Francisco Cobas.

Rafael Cueto, guitarra segunda del legendario Trío Matamoros, y Eliades Ochoa.

Benito Suárez, Joaquín Solórzano, Armando Machado, Eliades Ochoa y Compay Segundo.

Cartel del concierto en el Auditorio Nacional, 19 de octubre.

Agrupación Triángulo Oscuro junto a Eliades Ochoa.

Generoso Jiménez, integrante de la Banda del Benny Moré, Eliades Ochoa y músicos del Patria.

Eliades Ochoa y Juan de Marcos González, organizador de los artistas del proyecto Buena Vista Social Club.

Eglis Ochoa Hidalgo, Humberto Ochoa y Eliades Ochoa
en la antigua Casa de la Trova.

Eliades Ochoa y Alberto Granados, amigo de Ernesto Che Guevara y admirador de la música de Eliades, escritor argentino, autor junto a Ernesto Guevara de los diarios que inspiraron la película *Diario de motocicleta*. Recientemente fallecido.

Andy Montañez, músico puertorriqueño, y Eliades Ochoa.

Ibrahim Ferrer y Eliades.

Eliades junto a Generoso Jiménez, trombonista de la Banda Gigante del cantante Benny Moré.

Armando Machado, Benito Suárez, Eliades y Omar, trovador de la antigua Casa de la Trova.

Eliades junto a Mercedes, la viuda de Miguel Matamoros.

Polo Montañez, Eliades y Antonio Pacheco.

Eliades Ochoa y músicos del Cuarteto Patria.

Eliades, Grisel Sande y Charlie Musselwhite.

Ibrahim Ferrer y Eliades Ochoa.

Eliades y Flora Fong, admiradora de su música.

Nick Gold y Eliades.

Inocencio Iznaga, *el Jilguero de Cienfuegos*, y Eliades Ochoa.

Eliades y Faustino Oramas, *el Guayabero*.

Momento en que el comandante Juan Almeida Bosque entregó la distinción Réplica del Machete de Máximo Gómez a Eliades.

Eliades y un grupo de personalidades son condecorados.

Leidis Torres, Lino Betancourt, Silvio Rodríguez, Eliades
y Enrique Bonne Castillo.

Manú Chao, Eliades, Silvio Rodríguez y Grisel Sande.

Cartel del concierto de Buena Vista Social Club, en el Auditorio Nacional de México, 22 de mayo.

El pianista Chucho Valdés y Eliades Ochoa
en Los Ángeles, los Estados Unidos.

Eliades Ochoa junto a Reinaldo Creach, destacado trovador
de La Vieja Trova Santiaguera.

Miguel Ángel, Eliades y Anselmo Lainati, 1997.

Premio Grammy por el disco «Buena Vista Social Club».

Una de las cinco nominaciones por el disco «Sublime ilusión».

Eliades, Silvio Rodríguez, Ángel Gómez, Salvador Repilado, Compay Segundo y otros en Guadalajara, México.

Eliades y Ángel García, *Antolín*.

Eliades junto a la musicóloga cubana María Teresa Linares.

Eliades Ochoa con la directora y la vocalista
de la orquesta La Luz.

Eliades Ochoa y Tito Puentes.

Eliades Ochoa y el Dúo Buena Fe.

Eliades Ochoa y Ernesto Cardenal.

Eliades Ochoa y la virgen de las Mercedes,
Santo cerro, República Dominicana.

Grisel, David Blanco, Gloria Torres y Eliades Ochoa.

Richard Egües, Eliades y Rubén González.

Sentados: Eliades y José Feliciano junto a otros amigos, Italia 2002.

«Buena Vista Social Club».

Gráfica y Bibliografía

CUARTETO PATRIA
Son de Oriente

Eliades
Ochoa
María Cristina me quiere gobernar

CHANCHANEANDO
LA PRIMERA VERSIÓN DEL CHANCHAN
ELIADES OCHOA
CUARTETO PATRIA
COMPAY SEGUNDO

CUARTETO PATRIA
A UNA COQUETA

Eliades Ochoa
y El Cuarteto Patria
¡Se soltó un león!
CORASON

LA TROVA DE SANTIAGO DE CUBA
"ELIADES OCHOA y EL CUARTETO PATRIA"
¡AY MAMA QUE BUENO!

Eliades Ochoa y el
CUARTETO PATRIA
Cuidadito Compay Gallo
...que llegó el Perico
CUARTETO PATRIA
CUBAFRICA
& Manu Dibango
ELIADES OCHOA
GRANDES ÉXITOS
CUARTETO PATRIA
CHARLIE MUSSELWHITE
CONTINENTAL DRIFTER

RY COODER
BUENA
VISTA
SOCIAL
CLUB

ELIADES OCHOA
Y el Cuarteto Patria
SUBLIME ILUSION
HIGHER OCTAVE WORLD

ELIADES OCHOA
Tribute to the CUARTETO PATRIA

ELIADES
OCHOA
estoy como nunca

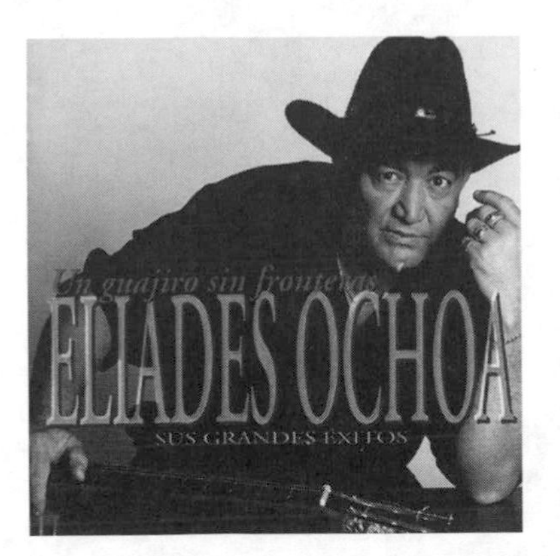
Un guajiro sin fronteras
ELIADES OCHOA
SUS GRANDES EXITOS

ORIGINAL DE CUBA
5 Leyendas
ELIADES OCHOA * COMPAY SEGUNDO * IBRAHIM FERRER
OMARA PORTUONDO * RUBEN GONZALEZ

Bibliografía

A. E.: «Los mejores grupos de la trova cubana cierran hoy los conciertos de Alsasua». *Diario de Noticias*, 1ro. de agosto, 199?, p.22, Pamplona, España.

ÁLVAREZ, JOSÉ MARÍA: «La capital del ritmo africano». *El Periódico de la Expo*, «Espectáculos», 12 de agosto, Zaragoza, España, 2000.

ARDÉVOL, JOSÉ: *Introducción a Cuba. La música*. Instituto Cubano del Libro, La Habana, 1969.

BÁRCENAS CRUZ, ARTURO: «El son cubano no morirá porque es una moda: Eliades Ochoa y Compay Segundo». *La Jornada*, 18 de octubre, y *Página 21*, México, 2001.

BELLO, ROBERTO: «Conversaciones entre sones y rones. *Close-up* de Eliades Ochoa». *Salsa Cubana*, año 5 (15), pp.24-25, La Habana, 2001.

BERTRAM, DRA.. CORELIA: «La producción ecológica y la música cubana». *Guía turística de la Isla de la Palma*, pp. 40-41, Edición Española, 2004/05.

BETANCOURT MOLINA, LINO: *La trova en Santiago de Cuba. Apuntes históricos*. Editorial Andante, La Habana, 2005.

C?, MARCO ANTONIO. «El Cuarteto Patria estuvo en [los] Estados Unidos». *Sierra Maestra*, Santiago de Cuba, 1989.

CARPENTIER, ALEJO: *La música en Cuba*. Editorial Letras Cubanas, La Habana, 1979.

CEDEÑO, REINALDO Y MICHEL DAMIÁN: «Un guajiro en la cima del mundo». *Tropicana Internacional*, edición 12, La Habana, 2001.

CEDEÑO PINEDA, REINALDO: «Santiago, sucesos del año». *Sierra Maestra*, Santiago de Cuba, 1999.

__________: «Un guajiro en la cuna del mundo». *Juventud Rebelde*, p.5, La Habana, 2000.

__________: «Eliades vive una sublime ilusión». *Sierra Maestra*, p. 6, Santiago de Cuba, 2000.

CISNEROS, JUSTIZ RAMÓN: *Pequeño managüi de cosas nuestras*. Editorial Oriente, Santiago de Cuba, 1981.

CORROTO, PAULA: «El Guajiro del oriente cubano». *Vocable*, p. 20, 13 de diciembre de 2000, España.

CRUZ, NANDO: «Cuarteto Patria conquista el FIMPT de Vilanova i la Geltru». «Espectáculos», *El Periódico*, Catalunya, 27 de julio, Barcelona, 1998.

D/R. «Me parece que en Cuba la gente nace musicalmente sabia». *La Vanguardia*, martes 6 de abril, p. 57, España, 1999.

__________: «*La chitarra di Ochoa da Cuba* con "Ilusión" ». *La República*, «Spettacoli», p. IX, Milano, Italia, junio, 1999.

__________: «Eliades Ochoa en el Galaxy Theater- Exellsion», *Excelsior* del Condado de Orange, semana del 17 al 23, p. 36, Los Ángeles, EE.UU., 199?

DÉNIZ, SORAYA: «Un "punto" de pregón». *La Provincia*, p. 18, Gran Canaria, jueves 9 de febrero, 1995.

DE LA HOZ, PEDRO: «Eliades Ochoa puso en alto el son en Oceanía». *Granma*, p. 6, La Habana, 2010.

DÍAZ AYALA, CRISTÓBAL: *Cuando salí de La Habana*. Editorial Centenario, 1999.

FRAIRLEY, JAN: «*Eliades Ochoa sixty years of Cuba's guitar hero*». *FROOTS*, núm. 285, pp. 26-33, marzo de 2007.

GIRO, RADAMÉS: «Eliades Ochoa». *Diccionario enciclopédico de la música en Cuba,* tomo III, Editorial Letras Cubanas, La Habana, 2009, p.167.

GÓMEZ APONTE, MARJORIE: «Se busca al maestro». *El Nuevo Día,* «Espectáculos», p.112, Puerto Rico, 2 de octubre,1999.

HERNÁNDEZ GARCÍA, ARLIÑO: «El son cubano, verdad difícil de apagar...». *La Jornada*, «Cultura», p. 29, México, jueves 3 de diciembre, 1998.

HURTADO, PILAR: «Sabor Cubano: Eliades Ochoa y el Cuarteto Patria actúan en la sala Oasis». *El Heraldo de Aragón,* «Ocio», Zaragoza, p. 9, 14 de mayo, 1999.

GAINZA CHACÓN, MIGUEL A.: «Para Polo Montañez y Eliades Ochoa». *Sierra Maestra*, Santiago de Cuba, 2002.

GARCÍA, MANUEL ANTONIO: «Representantes de la música tradicional Cubana". *Sierra Maestra*, Santiago de Cuba, 1995.

GÓMEZ, JOSÉ MANUEL: «Eliades Ochoa "Lo primero que hago al volver a Cuba es visitar la fábrica de ron" ». *Efe-Eme*, núm. 23, noviembre de 2000.

GONZÁLEZ DÍAZ, ALDEN: «Eliades Ochoa protagonista de un jonrón», *Sierra Maestra*, p. 6, Santiago de Cuba, 1998.

GONZÁLEZ MENDOZA, JESSICA. «Trova cubana, solo hay una, asegura Eliades Ochoa». *El Universal*, «Espectáculos», p.18, México, 31 de julio, 1999.

GORDON, JUAN A.: «La música cubana sigue estando en la cresta de la ola». *El Heraldo de Aragón*, 14 de mayo, España, 1999, p. 3.

LINARES, MARÍA TERESA: *Introducción a Cuba. La música popular.* Instituto Cubano del Libro, La Habana, 1970.

LORIET GUERRERO, OSCAR: «Dos valiosas figuras de la música tradicional, Rafael Cueto, integrante del Trío Matamoros y Eliades Ochoa, director del Cuarteto Patria». *Sierra Maestra*, Santiago de Cuba, 1987.

__________: «Más de 50 años deleitando a nuestro pueblo». *Sierra Maestra*, 1989.

M.B, SANTAIGO: «La música cubana dio un vuelco». *La voz de Galicia*, p.336, 20 de mayo, 1999.

MAESTRO GARCÍA, GREGORIO: «Ahora todo el mundo quiere al son». *La Razón*, p.49, 22 de agosto, 2000.

MANRIQUE, DIEGO: «Un guajiro en los Estados Unidos». *El País de las Tentaciones*, «Música», España, p.14, viernes 20 de marzo, 1999.

MARTÍN, LUIS: «Abrumadora entrega del Cuarteto Patria en Clamores». *ABC*, España, p.76, 24 de agosto, 2000.

NEIRA, FERNANDO: «El orgullo guajiro de Eliades Ochoa impregna el WOMAD», *El País*, p. 42, España, 11 de mayo de 2009.

OLIVARES, JUAN JOSÉ: «El son en la mejor época de su historia. El mundo sabe que existe: Eliades Ochoa». *La Jornada*, «Espectáculos», p. 8., México, 14 de mayo, 2002.

OVIEDO, JAVIER BLANCO: «El son es el padre y la madre de la música cubana. Salsa solo conozco una: la de lata». *La Nueva España*. «TV/ Espectáculos», 27 de abril de 2004.

PONCE, ROBERTO: «Los soneros cubanos: Eliades Ochoa y el Cuarteto Patria regresan a México tras el éxito del disco "Buena Vista Social Club». México, *Cultura,* núm. 1152-37, 30 de noviembre, 1998.

__________: «Eliades Ochoa en primera persona». *Proceso,* 1737, pp. 69-71, 14 de febrero de 2010.

PORTERO, ANDRÉS: «El veterano sonero cubano Eliades Ochoa regresa hoy a Bilbao con su célebre Cuarteto Patria». *Deia,* p. 70, «Kultura», 22 de agosto, Bilbao, España, 2005.

RAMOS, RAÚL: «La guitarra sincera y colorista de Eliades Ochoa conquista el *Alcázar*». *Cultura y Espectáculos*, Córdoba, España, 13 de julio, 2004.

REUES, ROSARIO: «Aprendo lo que va dejando el siglo». *El Financiero*, p.65, 29 de julio, México, 1999.

ROJAS AGUILERA, ALEXIS y VÁZQUEZ, OMAR: «Eliades comparte con Faustino, *El Guayabero*, el onomástico», *Granma*, p. 6, La Habana, 2003.

SANDE FIGUEREDO, GRISEL: «A lo cubano». *Sierra Maestra*, Santiago de Cuba, 1996.

SESÉ, TERESA: «Eliades Ochoa: Hoy en Cuba todos quieren ser soneros». *La Vanguardia*, España, 19 de junio, 1998.
TORRES TORRES, JAIME: «A fuerza de son». *El Nuevo Día*, «Espectáculos», p. 114, España, 30 de septiembre, 1999.
VARGAS, ALEJANDRO: «Con sabor a Cuba», *La Verdad de Quintana Roo*, p. 8, Cancún, México, 9 de octubre, 2007.
VÁZQUEZ, OMAR: «En lo alto del son, Eliades Ochoa», *Granma*, p. 6, La Habana, 2000.
_________: «Eliades Ochoa y su tributo al Cuarteto Patria». *Granma*, La Habana, 2000, p. 6.
_________: «Eliades Ochoa, ese "triunfador desconocido"». *Granma*, 1998.
_________: «Nada de baúl de los recuerdos». *Granma*, La Habana, 1999.
_________: «Eliades Ochoa está como nunca». *Granma*, p. 6, La Habana, 2003.
VERTIZ DE LA FUENTE COLUMBIA: «Eliades Ochoa guajiro de corazón». *Proceso*, 19 de octubre de 2008.

Índice